民主基礎系列超級公民版

超級公民—正義、隱私、責任、權威

# 教師手冊

Justice Privacy Responsbility Authority

Center for Civic Education 原著
財團法人民間公民與法治教育基金會、財團法人蘇天財文教基金會 聯合出版

五南圖書出版公司 印行

# 目錄

## 隱私課程 ........ 95

# 新世代公民素養－教師手冊

## 有效公民教育課程的特色

有效的公民教育課程，至少有下列四大特色：

- **學生之間普遍的互動：**能促進學生在學習時互動與合作的教學策略，是培養公民參與技巧與負責任的公民態度的最大關鍵。這類教學技巧的實例，包括小組活動、模擬活動、角色扮演活動與模擬法庭的活動等。
- **公平處理議題、又能合乎實際的內容：**以實際而公正的手法，來處理各項議題，是有效公民教育的基本要素，針對各種爭論點進行批判性的思考，也是其中不可或缺的一環。如果老師把司法制度與政治制度講得好像天衣無縫或完美無缺，學生就會懷疑老師的可信度，以及課程內容的實用程度。相反的，假如教師只提及制度失敗的案例，學生就比較無法把這類制度視為維護社會秩序與正義的正面手段，在尊重司法與政治制度，以及針對這些制度運用在特定案例所提出的建設性批評之間，要設法取得某種平衡。
- **在教室內運用社區資源人士：**和各種實際在司法與政治制度中工作的成人典範角色進行互動，可以提高課程的可信度與真實性，也是培養對司法與政治制度採正面態度的有效辦法。在教室內適當運用資源人物（例如律師、法官、警官、議員等）可以有效提高學生對如何行使公民權之相關議題的興趣，同時讓學生對教師與學校給予正面的肯定。
- **校長與其他校方重要行政人員強力支持公民教育：**要在校園內成功推動公民教育，最大的關鍵就在於取得行政人員，尤其是學校校長的強力支持。願意支持的行政人員可以組織建立同儕支持的機會、獎勵表現傑出的教師、協助教師向校外的社區人士說明並肯定這項課程，同時提供教師發展推動公民教育課程所需之知識與技巧的機會，藉以協助推動公民教育課程。此外，教師與其同事對公民教育課程抱持正面的態度，對成功推動這項課程而言，也是十分重要的關鍵。

成功的公民教育課程會以高度尊重每個人的方式，積極讓學生參與學習過程。反省、深思與論述受到高度重視，而且以有系統的方式確切落實。在我們以憲法為基礎的民主社會中，知識與人格的培養追求，被視為構成負責任之公民態度的兩大要素，同等重要，所有的努力都是為了把這些基本特色，納入「民主基礎系列」課程。

## 民主基礎系列課程背後思維

「民主基礎系列」課程背後有個基本假設，那就是教育能提昇一個人表現出有知識、有效率，以及負責任之行為的能力與意願。既然如此，教育機構的角色，就應該是要協助學生，提高學生為自己進行明智抉擇的能力——學習如何思考，而非思考些什麼。另一種潛移默化的教育方式，對一個自由社會中的教育機構來說，是不適當的。

公民教育中心成立的宗旨，就在於一個基本信念，相信以此哲學為基礎的課程所提供的學習經驗，可以締造一個有意義的過程，讓學生對這些維護與提昇自由社會風氣的原則、過程與價值觀，能有理性而深刻的投入。

## 課程目標

「民主基礎系列」課程設計的目的在於：

- 倡導對憲法民主機構，以及這些機構賴以建立的基本原則與價值觀能有更深刻的了解
- 培養年輕人成為有效率而負責任的公民所需要的技巧
- 提高大家無論在公領域或私領域進行決定或管理衝突時，了解民主過程、並加以運用的意願

學生在研讀「民主基礎系列」課程時，將發展出辨認需要採取社會行動之議題的能力。透過一些經過深思熟慮的問題，我們鼓勵學生毅然接受我們享有的公民權所帶來的責任——這些責任對一個以正義、平等、自

由與人權為理想基礎的社會而言，是永續存在的基本要素。

## 課程組織

這個課程不像傳統課程，以事實、日期、人物與事件為主要焦點，相反的，「民主基礎系列」課程要談的是一些我們用來了解這個憲法民主社會不可或缺的想法、價值觀與原則。本課程以四大觀念為主軸：權威、隱私、責任與正義，這幾個觀念是公民社會價值與觀念的常見核心，也是民主社會中公民權之理論與行使的絕對基礎。這些觀念並非互不相干或彼此排斥，有些觀念往往還會和其他觀念產生衝突。這些觀念就像所有真正重要的觀念一樣，可以有許多不同的詮釋。

「民主基礎系列」課程可以整套課程一起教授，或者老師也可以選擇其中和某個學校或某個區域的一般課程目標與學習成果相關的某個特定觀念來教授。這幾個觀念的傳授，不需要按照特定的順序，不過如果你選擇了其中某一課，教學的目標就只能是那一課的特定目標，而非整個單元或整個觀念的整體目標。

本課程每一個觀念的教學內容，都分為四到五章，每一章設計的目的，都在於回答一個有關這個觀念的本質與運用的基本問題。以下就是針對每個觀念各章節內容的簡短摘述：

## 《權威》

### 第一單元：權威是什麼？

學生將學習權力（power）和權威（authority）之間的關係，調查不同的權威來源，透過研究權威缺席或濫用的情況，來增加對於權威的洞察力。然後細查在處理不同情況時聰明且有效的方法。

### 第二單元：我們如何評估權威職位的候選人？

讓學生學習評估人選的知識和技巧，在關係到權威人士的重要事情當中做出知情的（informed）、合理的（reasoned）抉擇。

### ➡ 第三單元：我們如何評估規定和法律？

學習判斷規定和法律的知識和技巧，幫助學生對於規定和法律做出明智的判斷。

### ➡ 第四單元：行使權威的益處與代價是什麼？

學生將學習到每一次權威的行使都會對個人或社會整體帶來某些益處和代價。我們有必要了解權威的益處和代價，才能明智的決定權威應該有的範圍與限制。

### ➡ 第五單元：什麼是權威應該有的範圍和限制？

本單元讓學生去決定一個特殊權威職位的權力和限制應該如何設計，才能使權威的行使能夠有效力的並且不會專制。

## 《隱私》

### ➡ 第一單元：何謂隱私的重要性？

本章節協助學生定義隱私，了解隱私的重要性，辨認並描述在不同的狀況下，一般人通常想保有隱私的事項，以及區別保有隱私與缺乏隱私的狀況。

### ➡ 第二單元：造成隱私行為不同的因素，可能有哪些？

本章節協助學生了解可以用來說明個人隱私行為之差異的因素或要素。學生會學到，雖然所有的文化中都有隱私，但在某個文化之內與不同的文化之間，個人的隱私行為往往有很大的差異。

### ➡ 第三單元：隱私有哪些益處與代價？

本章節協助學生了解，我們每次維護隱私，都會帶來某些後果，有些後果是益處，有些後果是缺點。學生還會學到，不同的人針對在某個特定情況下是否該保有隱私，往往也會有不同的看法。

### 第四單元：隱私應有什麼樣的範圍與限制？

本章節協助學生了解，我們身為公民所面臨的某些最重要的議題，就包括隱私的範圍與限制的問題：有哪些事情我們可以讓人保有隱私？何時我們該要求他人犧牲隱私，以維護其他的價值觀？

## 《責任》

### 第一單元：何謂責任？

本單元幫助學生了解責任對個人與社會的重要。學生在本單元中將檢視責任的來源，以及盡責與不盡責的結果。

### 第二單元：盡責的好處與代價為何？

本單元幫助學生了解，盡責會產生一些結果，其中可能有利有弊。學生在本單元了解，在判斷應盡哪些責任時，必須考慮利弊得失。

### 第三單元：無法兼顧責任時，應該如何取捨？

本單元幫助學生了解，有時候我們無法兼顧所有的責任、價值觀和利益。學生在本單元將學到一套程序，有助於他們做出合理的決定，判斷應盡哪些責任，應追求哪些價值觀與利益。

### 第四單元：誰該負責？

學生在本單元中會學到一套程序，幫助他們衡量和判斷在某事件或情況發生時，何時必須有人出面負責 —— 何時應論定功過。

## 《正義》

### 第一單元：什麼是正義？

正義分為三種：分配正義、匡正正義、程序正義。本單元概略介紹三種正義。課文提供生活化的範例，指導學生判斷日常生活中大大小小的事情牽涉到哪一種正義，並協助學生了解判斷的重要性。

### 第二單元：分配正義？

本單元介紹分配正義。所謂分配正義，就是公平分配權利責任。權利包括發言權、投票權等等，另外以工作賺取的酬勞也是一種權利。享受權利也要善盡責任，學生的責任就是寫作業，而納稅就是全體國民的責任。單元主旨為教導學生落實分配正義。

### 第三單元：匡正正義？

本單元介紹匡正正義。所謂匡正正義，就是針對錯誤與傷害，做出公平合理的處置。單元主旨為教導學生實踐匡正正義。

### 第四單元：程序正義？

本單元介紹程序正義。所謂程序正義，就是用正當合法的程序蒐集資訊與決策。單元主旨為教導學生落實程序正義。

「民主基礎系列」課程的內容，雖然在本質上屬於觀念的簡介，但卻是以學生日常的經驗為基礎。本課程的獨特性在於，能夠協助學生看出日常經驗與更廣大的社會與政治生活之間的關係。

本課程設計的目的，在於整合美國歷史、政治，以及其他社會學科與一般人文學科，包括語言藝術等。

## 教師手冊格式簡介

- **每章格式**。教師手冊就像學生課本一樣，也分成各個章節，每個章節都以「介紹第〇單元」開頭，內容正好和學生課本的「單元目標」相呼應，簡短介紹此章節包含的各課內容。
- **每課格式**。教師手冊設計的目的，在於補充並延伸學生課本的內容。每課一開始都有「課程概述」，說明這一課的整體目標，接著是「課程目標」，詳細列出欲達到的行為目標，這部分的內容正好和學生課本上「本課目標」的內容相呼應，學生在上完每一課以後，應該能夠完成此處描述的任務，不過由於本教材在觀念上有累積性，因此並不需要要求學生在過程中每一步都完全熟練。

「課程目標」之後緊接著是「課前準備／所需教材」，說明會用到學生課本中的哪幾頁內容，同時建議教授本課所需的額外準備或教材。再接下來的段落是「教學程序」，此處提出一些教學策略，讓你能應用在你們特殊的教學環境中，包括介紹本課內容的一些方法，有關本課主題一些額外的資訊，可以用來討論的問題，以及針對特定學生練習題的答案等。同時這部分還提供一些活動與策略，可以用來作為這一課的結尾。

這本手冊的每一課最後面，都會有「課後練習」的單元，提供一些個別、小組與全班同學共同完成的活動，設計的目的在於延伸或加強學生在同一課中學到的內容。此處的建議方案可以提供與培養多種不同的技巧，有助於學習以觀念為導向的教材內容。另外這些活動還可以輕易調整，作為課堂報告的一部分。最後在合適的幾課裡，有「教師參考內容」，提供與那一課相關的額外資訊或特定法院案件的判決結果。

## 教學策略

以下是推薦用來教授「民主基礎系列」課程學生課本的教學方法：

## 以思考工具來分析議題

有時個人或機構面臨的一些議題，很難分析或解決。在「民主基礎系列」課程中，學生也會碰到類似的問題。本課程提供學生一系列分析架構，或稱「思考工具」，以協助學生進行批判性思考，並針對重要議題發展出深思熟慮、能夠負責的立場。所謂「思考工具」一詞，指的是各種想法與好幾組問題，可以用來檢視有關權威、隱私、責任與正義的議題，並做出相關的決定。這些「思考工具」就像其他所有良好的工具一樣，使用的方式有很多種。

先看看思考工具如何運用在其他學習領域，或許有助於我們釐清在分析權威、隱私、責任與正義的議題時，為何需要運用各種思考工具，同時了解到這些思考工具的用處。想像有一群考古學家走過一座山腳下，想尋找遠古村落的跡象，他們的腦海中具備了一組知識與技巧，包括事實、想法、假設與問題，讓他們能夠注意與了解到一些門外漢可能不會看到或了解的事物。

一個門外漢可能踏過一個村落的遺址而不自知，但考古學家有了特殊的知識，卻能立即認出人類遺址的徵兆，接著他們就會運用思考工具，有系統地蒐集並處理相關資訊，以便更加了解過去的歷史。

在其他領域受過訓練運用思考工具的人也一樣。在每個情況下，受過訓練的人在了解某些事物、達成某些目標或做出聰明的決定與判定隨後的行動上，都比未受過訓練的人要占優勢。無論熟練的木匠、電視節目製作人、政治學家、法官或天文學家，都是如此。

雖然以思考工具作為思考流程的一般性想法，貫穿此課程，但依要解決的問題類型不同，思考工具的成組問題，內容也不一樣。舉例而言，要處理權威的議題與正義的議題，所運用的提問策略就會不一樣。

本課程所提供的思考工具會透過積極的學習策略不斷加強，學生可以因此發展出民主社會中，成功參與社會與政治生活所需的個人與團體互動技巧。「公民教育中心」的課程，其獨一無二之處，就在於訓練學生運用思考工具，這些思考工具只要一旦學會，就能反覆運用，一輩子要做決定時都受益無窮。

## 推動課堂討論

權威、隱私、責任與正義的觀念歷史背景包含了各種爭議、辯論、評量與重新評量，因此「民主基礎系列」課程的學習內容也不免如此。有效的公民教育包括提出一些有爭議性的主題，並加以討論，這正是本課程最讓教師與學生深感興趣之處。透過討論的過程，學生可以培養知識、決策技巧、管理衝突的經驗，以及公民社會的參與意願。

為了確保你和你的學生都能覺得本課程的經驗深具啟發性、讓人受益無窮，你或許可以考慮採納下列建議，以針對具有爭議性的議題與當代的話題，在課堂上成功進行討論：

- 強調爭議、折衷與達成共識的合法性，這些是民主社會的活血源頭。
- 試著以具體的形式，呈現有爭議性的重要議題，以學生生活中面臨的類似問題與困境作為實例。
- 強調史上的先例，以便學生了解過去類似的衝突是如何處理的，承認有些時候我們並未達到建國時的理想與原則，並指出一些實例。另外，檢視這些觀念在不同的時期，有哪些不同的詮釋與應用，可以協助學生了解我國憲法制度的彈性，以及個別公民在協助國家推動建國目標上所扮演的角色。
- 強調同時有各種不同觀點的合法性，以鼓勵學生以不偏不倚的態度來檢視與陳述彼此相衝突的觀點，如果學生未能提及任何相反的觀點，教師就有義務提出。
- 讓學生把焦點放在討論或處理相關的想法或立場上，而非把焦點放在人身上。強調在碰上具爭議性的議題時，即使是理性十足的人也很可能有不同的意見。鼓勵學生在和大多數人想法不同時，勇敢提出不同的看法——即使沒人附和也一樣。
- 協助學生認清眾人意見相同或不同之處、可能可以折衷之處，以及不可能產生折衷的地方。強調真正重要之處在於提昇理性決策的能力，加強以民主態度表達意見的能力，以及培養尊重他人觀點的能力，至於學生最後針對某個議題達成的結果或決定，反而沒有那麼重要。
- 在每個活動或每段討論的結尾，記得回顧評估中間提出的論點，同時探索所提出之各種解決方案可能產生的後果。另外還有一種有效的收尾方式，就是由教師與學生共同評量整個進行討論，準備團體活動或在班上提出報告的過程。

在這個課程裡，課堂討論與意見分享是十分重要的環節，因此你（教師）在開始上課之前，或許可以先訂定幾個基本規則。例如：

- 表達意見時，一定要準備好充分的支持理由。
- 以有禮而尊重的態度，傾聽他人的意見。你（學生）可能會被點名，要你指出哪一個意見（除了你自己的意見之外）你最喜歡。
- 每個人都會有發言的機會，可是一次只能有一個人發言。
- 不要進行人身攻擊，要以理由與看法來和人辯論。
- 你（學生）可以隨時改變自己的看法，不過要準備好說明改變的原因。

## 有效的提問策略

一連串的問題與回答，是整個課程進行過程中很重要的一部分。如何有效運用問題，對學習過程而言，十分重要，因此需要仔細的規劃。雖然有些問題可以有效釐清學生到底已經獲得多少知識，但運用提問策略的主要目標，還是應該在於協助學生提昇達成有效、負責任之決定的能力。有鑑於此，你應該選擇一些能引導學生分析狀況，以及針對觀念進行整合與評估的提問策略，以便學生終生都能運用從本課程中學到的技巧。

在規劃課堂討論活動時，通常有六大類問題要考量，以下是這六大類問題的簡短描述與實例：

- **知識：**這類問題包括回顧特定的事實或資訊。實例：正義的議題分為哪三大類？
- **理解：**這類問題涵蓋理解教材內容意義的能力，呈現的方式可以包括以另一種形式重述某個教材內容，或者針對教材內容進行說明。實例：畫一張畫，說明一個人正在盡某種責任，以及那項責任的來源。本課的中心思想是什麼？
- **應用：**這類問題包括在嶄新情況中，運用所學內容的能力。實例：根據過去的經驗，你能舉出哪些應用這些觀念的實例？未來你可以如何運用這個過程，解決衝突？
- **分析：**這類問題包括把教材內容分解為各個組成部分的能力，不但要能說明這些部分的內容，還要能釐清各個部分之間的關係。實例：在這個狀況下，保有隱私的結果是什麼？其中哪些結果是益處？哪些結果是代價？

- **整合：**這是把各個不同的組成部分放在一起，建立一個新整體的能力，其重點在於建立嶄新的思考模式。實例：你能提出什麼樣的論點，說明我們應該提升美國最高法院的權威？
- **評量：**這是針對某個特定目標，評估教材內容之價值的能力，可能是在彼此衝突的責任之間，加以選擇的過程，也可能是要判斷某條法令是否符合良好規則的標準。實例：在協助判定誰該為這件事情負責時，思考工具的用處有多大？你提出的解決辦法可能造成什麼樣的結果？

有些架構問題的方式，可以讓學生不只傾聽、回答老師提出的問題，還能彼此發問、彼此回答。鼓勵學生以下列方式積極參與：

- 提出一個問題，並讓學生兩人一組，針對這個問題的答案進行討論。
- 請學生澄清自己的答案，這不但可以讓學生本身受益，也可以讓他人受益。
- 請學生提出其他的事實、資訊與觀點等，以拓展本身或其他同學提出的答案。
- 請學生針對課堂上剛剛教過的教材內容，提出自己的問題。
- 提出一個問題以後，至少停頓七秒鐘，讓學生有思考的時間。
- 假如學生提出的答案過於簡短或流於片段，請他們加以延伸補充。
- 每個問題請一個以上的學生回答。
- 鼓勵學生針對其他同學的答案提出回應。
- 無論是自願回答的學生，或非自願回答的學生，都要請他們發言。

## 知識技巧與參與技巧

**知識技巧：**本課程運用日常使用的動詞，以點明批判性思考練習所應培養的知識技巧。舉例而言，批判性思考練習要求學生「描述」、「說明」、「評量」，以及「採取與捍衛」立場，這些動詞同時用在「公民與市政全國準則」中，是刻意選擇的結果，而非應用在某些特定知識類別當中的動詞，因為這些動詞有較多人 —— 包括家長、同學與相關人士 —— 都能夠馬上了解。

從最基本、到最複雜的知識性思考，都可能包括描述、說明，以及評量、採取、捍衛立場等動作。

以下是課程練習活動中最常用到的動詞，以及這些動詞代表的知識性技巧。大家應該注意的是，每個動詞 —— 例如「找出」 —— 代表的技巧，應用的範圍都很廣泛，從最簡單的動作，例如在某個特定選區中，找出一位國會議員，到「找出」最高法院觀點中所運用的標準，都包括在內。

1. **「找出」：**找出一些具體（某人的代表）或非具體（正義）的事物。要找出某件事項，必須具備的能力可能包括：（1）區別此事項與其他事項的差異；（2）把屬性類似的事項加以歸類或分類；或者在某些情況下要（3）看出此事項的起源。
2. **「描述」：**描述具體或非具體的物品、流程、機構、功能、目標、做法與目的或品質等。要描述某件事項必須要能以口頭或書面的方式，敘述此事項的基本屬性或特性。
3. **「說明」：**找出、描述、澄清或解釋某件事情。一個人可以說明（1）事件的起因；（2）事件或觀念的意涵與意義；或（3）各種行為與立場的原因。
4. **「評量一個立場」：**運用某些標準或準則，針對下列各點進行判斷：（1）針對某個特定議題所採取某個立場的好處與壞處；（2）此立場所倡導的目標；或（3）倡議用來達成目標的方式。
5. **「採取一個立場」：**運用某些標準或準則，找出一個願意支持的立場，這可以（1）從各種不同的立場中加以選擇；或（2）提出一個嶄新的立場。

6. **「捍衛一個立場」**：這包括（1）提出有利於本身立場的論點；（2）針對與本身立場相反的論點，提出回應或加以考慮。

**參與技巧**：在公民社會與市政運作的特定領域中，有某些特定的參與技巧。在以憲法為基礎的民主社會中，要想有效而負責地履行公民義務，光靠知識與思考是不夠的，負責的公民應該要能參與治理社區、省份與國家，同時協助管理自己所屬的團體或協會。而要以明智、有效、負責的態度履行公民義務，必須掌握一些基本的參與技巧，這些技巧可分類為互動、監控與發揮影響，以下是針對這些參與技巧的簡短說明：

1. **互動**：

- 以小組、小型委員會的方式進行活動，匯集各種資訊，交換意見，研擬行動計畫
- 傾聽，蒐集資訊、想法，以及不同的觀點
- 提問，澄清資訊或觀點，取得事實與各項意見
- 討論公共事務，在學校裡、和鄰居朋友一起或者在社區團體與公共論壇中，以富有知識、負責任、符合公民精神的方式，加以討論
- 參加協會／利益團體，提倡觀念、政策與利益
- 建立聯盟，取得志同道合之人士與團體的支持，以推銷候選人與各項政策
- 管理衝突、仲裁、協商、折衷、建立共識
- 擔任校園／社區服務工作，擔任代表或選出的領導人，組職公共議題論壇，為候選人站台
- 運用電腦資源，取得資訊，宣導公共政策

2. **監控**：

- 仔細傾聽其他公民的想法，並注意公家單位的會議紀錄與媒體報導
- 詢問官員、專家與其他人士，以取得資訊，調整職責
- 追蹤媒體上的公共議題，運用各種資源，例如電視、廣播、報紙、期刊與雜誌

- 研究公共議題，運用電腦資源、圖書館、電話、媒體
- 蒐集並分析資訊，以政府官員與機構、利益團體、公民組織為來源
- 參加公共會議、聽證會等，例如學生議會、市議會與學校董事會，縣市監督委員會成員、州議會與國會所進行的簡報會議等
- 訪問對公民議題有深刻了解的人，例如地方官員、公僕，公共與私人協會、學院與大學的專家
- 運用電腦資源取得／交換資訊，例如 Thomas、Civnet 等網路資源，大學線上服務系統，公布欄等

3. **發揮影響：**

- 投票，例如在班上、學生團體、地方選舉、州級選舉、全國選舉與特殊選舉中參與投票
- 遊說，提供事實資料給議員／決策人士，推廣自己或某個組織的觀點
- 請願，例如呼籲代表與官員注意公共政策中需要改進之處，發起連署以提出創制或罷免
- 撰寫，例如信件、宣傳手冊、政論文章等
- 演說／公開作證，例如在學校董事會、特殊地區、州議會、國會等
- 支持／反對候選人或有關公共議題的立場，例如奉獻時間、才幹或金錢
- 參加公民／政治團體，例如學生自治政府、青年團體、地方／州級／全國性政黨，以及遊說團體
- 運用電腦網路推廣關於公共事務的觀點，例如參與線上公共議題的討論，利用電子郵件向官員闡述觀點

## 鼓勵小組學習

學生課本中的「批判性思考練習」，一般設計的目的在於讓學生以小組或者兩人一組的方式，參與合作式的學習活動，每個人都必須參與，才能圓滿完成每項練習。我們鼓勵學生不只在知識上參與，更同時培養運用適當的人際關係技巧。

教師在規劃與執行這類合作式小組學習活動時，可能會碰上一些重要的問題，其中之一就是每個小組的人數多寡，下列研究結果有助於決定課堂上每個小組的理想學生人數。

威爾頓（David A. Welton）與馬倫（John T. Mallan）在他們所著的《孩童和他們的世界：教授初級社會課》（Children and Their World: Teaching Elementary Social Studies）第四版（米福林出版社，1991 年）中，曾指出人數不同的學習小組一般所具有的行為特色：

- **兩人小組：**兩人小組的兩大特色包括密集交換資訊，以及傾向避免意見不合，不過一旦真的碰上意見不合的狀況，就會陷入僵局，因為兩個人都沒有第三者的支持。
- **三人小組：**三人小組很容易出現多數的力量勝過少數一人的狀況，不過三人小組是最穩定的小組架構，只有偶爾會出現換邊站的狀況。
- **偶數小組：**人數是偶數的小組比較容易出現意見不合的狀況，這是因為兩邊人數相同時，很容易陷入僵局。
- **五人小組：**最讓人滿意的學習小組人數似乎是五個人，這樣小組內部互動很容易，二比三的人數分布又可以讓隸屬於少數的人獲得支持。這樣的小組人數夠多，可以彼此激勵，又不會人數過多，影響到每個人的參與和所獲得的認可。
- **五人以上的小組：**隨著小組人數的增加，參與者的能力、專業與技巧，也都會隨之提升，但要讓每個人都專心參與、確保每個人都有發言機會，以及協調團體行動的難度也會提高。

另一個教師在規劃與執行這類合作式小組學習活動時，可能會碰上的問題是：要讓學生自己選組，還是要由教師指定分組。大衛•強森（David W. Johnson）與其他人合著的《學習的圈圈：課堂上的合作》（監督與課程發展協會出版，1984 年）一書中，曾經描述下列各種小組的特色：

- 學生自己選擇的小組通常同質性比較高，成就高的學生會選擇與其他成就高的學生同組，男生會選擇男生，不同文化背景的人也會選擇和文化背景相似的人同組。

- 學生自己選擇的小組對練習活動的參與程度，通常不及教師指定的小組。
- 異質性較高的小組，通常較容易有創造性的思考，提出與接受說明的機會比較多，討論中能提出觀點的機率也比較大。

有種方式可以有效折衷讓學生自己選組的方法，那就是請學生列出三個自己希望和他們同組的同學姓名，讓學生和其中一人同組，其他組員則由老師指定，另外對於沒人選到的學生，老師也要特別注意，為他們建立一個具有支持性的環境。

你也可以用數數的方式，讓學生隨機加入各個小組，舉例而言，假如班上有三十個學生，要分成六個小組，五人一組，你就可以讓學生從 1 數到 6，數完以後再從 1 開始，然後讓數到 1 的人一組，數到 2 的人一組，以此類推。分組完成以後，維持這樣的分組一段時間，不要每次碰到課本上有新的活動，就重新再分組一次。

以下是在課堂上推動小組活動時，可以運用的一些通則：

- 確定學生具有進行這項活動所需的技巧，若非如此，你很快就會發現，因為他們投入活動的時間一定不會太久。
- 清楚說明如何完成這項活動，同時檢查學生是否徹底了解活動的流程或程序。
- 保留足夠的時間，讓學生能完成指定任務。發揮創意，想一些方法，讓先完成的小組有事可做。
- 以清楚明確的態度處理管理議題，假如每個小組都必須有人負責向全班報告，要確定有明確的流程，可以選出負責報告的人。
- 想想看，運用小組活動的方式，對你的評量策略會有什麼樣的影響。擬定一些方法來獎勵團體的表現。
- 監控小組的活動狀況，擔任引導資源，引導學生進行活動。

## 社區資源人士

邀請社區內具有適當經驗或專業的人士，來參與課程的活動，可以有效提升並增進學生對「民主基礎系列」課程中所提觀念的了解。社區資源人士可以有所貢獻的方式如下：

- 分享真實生活的經驗，以及所學觀念的實際應用，讓課程更為生動活潑。
- 協助在課堂上執行一些活動，例如角色扮演、模擬法庭，以及模擬立法聽證會與辯論會等。
- 擔任嚮導，在學生到法院與立法院等地實際參觀時，回答各種問題，讓參觀經驗更為生動豐富。
- 和某個班級建立起持久的關係，讓資源人士能以電話定期回答學生的問題，或學生在某一課中討論到的議題。

凡是社區內的各種人物，都能夠擔任資源人士。這類人物通常包括警官、律師、法官、議員、州政府與地方政府官員，以及政治系教授或法律系教授等。有幾課的內容可能需要其他領域的專業人士，例如醫學、環境科學或商業等。學生課本與教師手冊中，都有針對特定專業的資源人士進行推薦，這些人可以讓「民主基礎系列」課程的觀念學習更加生動有趣。

如果想讓社區資源人士的參與，盡可能發揮最大的意義，就要事先進行謹慎的規劃。以下是一些相關的注意事項：

- 資源人士的參與應該與學習中的課程或觀念相關。
- 主要參與方式應該是和學生進行互動，以及參與學生的活動。應邀請資源人士協助學生準備角色扮演，或準備模擬法庭的辯論，資源人士可以擔任法官、協助學生進行討論或針對某一課中的特定細節，回答學生的疑問。此外，資源人士也應該一起討論某一課或某個活動的結論。
- 資源人士應針對討論主題提供平衡式的全面概況，包括各式各樣的觀點。如果一個人不可能做到客觀，可以考慮邀請第二位資源人士，以確定學生能獲得平衡的討論經驗。此外，受邀的資源人士應避免使用專業術語，盡可能以明白易懂的方式來解釋。

- 在資源人士到訪之前，學生應有萬全的準備，以便讓他們和資源人士的接觸討論，能有最大的收穫。
- 大部分資源人士都不是受過訓練的教師，因此不該負責主掌教學活動，整個資源人士來訪期間，都應有專業教師在旁陪伴，有時教師甚至必須提出一些適當的問題或線索，以提點資源人士，協助他們更有效地和學生溝通。
- 要讓整個訪問活動能夠成功，資源人士應該事先先拿到一份課程內容。活動進行之前，如果能先當面討論或先以電話進行討論，通常有助於釐清資源人士到場後該做些什麼。

有鑒於本課程時間有限，課程內容緊湊，最好儘早向資源人士提出邀約。在資源人士來訪的當天，應由一群學生組成學生委員會，負責接待並負責事後寄發感謝函。

## 互動式教學策略

「民主基礎系列」課程的基本特色之一，就是所運用的教學方式，能讓學生主動參與，針對和權威、隱私、責任與正義等觀念相關的議題，建立並闡述自身的立場。學生將學著把所學的知識，運用在當代相關議題以及各種社會政治問題上。非但如此，這類學習策略還能提升某種學習氣氛與參與技巧，提高學生在憲政民主社會中，有效履行公民職責的能力。舉例而言，學生會學到如何互助合作，以達成共同的目標；如何評估有爭議性的議題，同時採取一個立場，並加以捍衛；以及如何以具有建設性的態度，來處理互相衝突的意見與立場。這些學習策略也可以讓學生了解政府運作的方式。

本課程的核心教學策略有很多，其中包括立法聽證會、模擬法庭，以及市政大會等，這些教學策略運用在小學中、高年級與中學的教學課程中，以下段落將分別詳述其內容，並針對在課堂上如何實際運用這些策略，提出明確的建議。

（運用此模式的其他教學策略包括市長的就業問題討論會、學校的聽證會、市政大會或縣政大會，以及行政聽證會。）

## 立法聽證會

立法聽證會由美國國會委員會或其他立法單位負責舉行，目的在蒐集資訊，以便針對法律規範的主題或考慮據以立法的主題，提出相關的處理建議。舉辦這類聽證會是政府立法相關部門的基本職責之一。

讓學生以立法聽證會的形式，進行角色扮演，可以讓他們有機會更加了解舉辦這類聽證會的目的與程序，同時更確切掌握委員會成員的角色與職責。另外學生還能學著辨認與釐清涉及討論主題的觀念、利益與價值觀，取得這方面的相關經驗。

### 進行方式

1. **澄清主題：**協助學生了解立法聽證會的主題，學生課本與教師手冊中，都已經清楚列出每課主題，另外老師還要確定，學生了解各個委員會在立法聽證會舉行的過程中，所扮演的角色。
2. **聯絡資源人士：**邀請當地的議員、地方團體或全國性組織的地方分會，來擔任聽證會主題的相關資源人士。
3. **分配角色：**向學生說明舉辦立法聽證會的目的，並指派學生擔任適當的角色：
   (1) **議員：**通常立法委員會有六名議員，不過這個人數可以根據課堂上的實際需求進行調整，指派一名議員擔任主席，負責主持聽證會。
   (2) **證人：**證人的人數與身分視討論主題而定，課本上與教師手冊中所描述的各類特定角色，設計目的在於針對同一主題，提出各種不同的觀點。
   (3) **書記官：**這個角色可有可無，這個人負責進行會議記錄，同時針對討論過程中的各項發言，給予提要或摘述。

(4) **報社記者：**這個角色可有可無，不過有了這個角色，有助於協助學生了解媒體在民主過程中，所扮演的職責。遴選學生扮演來自各種觀點報社的記者，請他們訪問議員和證人，觀察聽證會的進行，然後撰寫與同一主題相關的簡短文章或評論。這些扮演記者的學生應該和全班同學分享與討論自己的作品。

4. **準備報告：**保留一些時間，讓學生能根據自己被分派到的角色，準備參加立法聽證會，學生課本與教師手冊中均有明確的說明，指出學生該如何運用思考工具，準備參與角色扮演活動。
   (1) 議員應找出關鍵議題，並準備一些問題，來問每一個證人。
   (2) 證人應點明自己對討論之議題所採取的立場，同時準備好開場的陳詞內容，預先設想議員可能提出的問題，並擬好可能的答案。
   (3) 證人可以討論己方的立場與其他證人之立場的相似之處。
   (4) 在適當的情況下，請資源人士到現場來和學生一起進行活動，或讓學生和外界的資源人物接觸，請這些資源人士協助他們準備說明自己針對某一議題的立場。
5. **布置教室場地：**把教室布置成立法聽證室的樣子，其中包括一張議員的長桌、一張書記官使用的書桌，以及一張證人使用的長桌或書桌，準備一個議事槌，還有上面載明學生姓名與角色的名牌。也可以讓學生到當地立法單位的聽證室或委員會討論室去進行這項活動。
6. **進行聽證會：**應根據下列程序來進行這項活動：
   (1) 委員會主席宣布肅靜，說明舉辦聽證會的目的，以及稍後傳喚證人的順序。
   (2) 主席傳喚每位證人，證人進行開場陳詞，接著由委員會成員提問。教師可以設定時間限制，通常開場陳詞大約三到四分鐘，接受議員提問大約五到六分鐘，指定一名計時人員，負責計時。
   (3) 主席先向證人提問，接著由委員會其他成員提問，不過委員會成員可以在討論過程中，隨時打斷他人的發言，提出問題或發表評論。

(4) 傳喚證人結束之後，議員回顧證詞，討論議題，並針對下一步的做法提出建議。

7. **活動簡報：**簡報囊括的問題視主題而定。先請議員宣布他們的決定，討論針對此主題所提出的事項與論點，同時評量各個立場的優點與缺點，並請學生評估自己在參與聽證會過程中所獲得的經驗。最後，請學生討論以此活動作為教學工具的效果，包括各自扮演其角色的成效如何，作為整個活動的結尾。如果有資源人士到場協助學生進行活動，最後討論的部分應該包括這個人物在內。

## 立法辯論會

在研擬與發展法律條文時，通常可以運用立法辯論會，以達到一定的成效。讓學生扮演立法辯論會當中的角色，有助於學生更加了解議員在行使立法權，以及針對公共政策進行辯論時，所行使之權力的目的與價值。

### 進行方式

1. **澄清主題：**協助學生了解立法辯論會的主題，學生課本與教師手冊中，都已經清楚列出每課主題，另外老師還要確定，學生了解法案正式立法的過程。
2. **聯絡資源人士：**邀請州議員、國會議員或他們的助理，協助擔任資源人士。
3. **分配角色：**把全班視為一個立法機構，由教師或一名學生擔任主席，然後將議員分組，請他們分別代表與討論議題相關的各項立場發言，這些組別在學生課本與教師手冊中，已經有清楚的說明。教師也可以指派一名同學擔任紀錄，負責記錄辯論過程中的各項討論重點。
4. **準備報告：**保留一些時間，讓學生能根據自己被分派到的角色，準備參加立法聽證會，學生課本與教師手冊中均有明確的說明，指出學生該如何運用思考工具，準備參與角色扮演活動。

每組應先選出一名發言人與一名紀錄，然後按照課本上的指示進行活動。學生在建立本身的立場之前，應先針對討論議題進行分析與評量。在某些情況下，學生必須針對課本上的建議法案提出修正案，或者有時學生可以起草建議法案，以協助解決討論中的議題所引發的問題。

等各組成員都完成修正案或起草的法案內容之後，發言人就向主席報告，要求將該法案列入議程。法案應依提出的先後順序列入議程。學生可以與他組成員討論所提出之建議案或法案的相似之處，以預先判定雙方是否可以合作，共同提出某項建議。

5. **布置教室場地：**把教室布置成立法院的樣子，其中包括一張主席的議事桌和一張記錄用的書桌，如果想讓發言看來更正式，還可以準備一個發言用的講桌。另外準備一個議事槌，以及上面載明學生姓名與角色的名牌。也可以讓學生到當地議會的議事廳去進行這項活動。
6. **進行立法辯論：**事先應先決定辯論過程中每個步驟的時間限制，只要時限一到，主席應有權打斷發言者的談話。立法辯論應根據下列程序進行：

(1) 主席宣布肅靜，說明所有表決均以簡單多數決，宣布辯論議題，開始辯論。

(2) 議程上第一個法案由提出組別之發言人負責報告。發言人起身，向主席致意，然後開始報告法案內容，報告完畢以後，可以請同組的另外兩名成員，針對法案內容進行補充。

(3) 全體議員討論這項法案，並針對法案內容進行辯論，其他組別的代表可以提出問題、批評或修改建議。

(4) 反覆上述步驟，一一討論列入議程的其他法案。

(5) 等所有法案都討論、辯論完畢之後，全體議員可決定採取下列步驟：A. 針對其中某項法案進行表決，B. 中場休息，讓各組有時間審視所提法案。如果決定中場休息，各組應聚集討論接下來的具體行動：是要支持某項法案，針對所提某項法案提出改進建議，還是要研擬出一個折衷法案。

(6) 中場休息結束以後，主席徵求動議：看是要針對某項討論法案進行表決，提出修改建議，還是要提出其他折衷法案。如果有人提出修正案或折衷法案，就個別針對這些法案進行辯論與表決。

(7) 反覆此流程，直到通過某項法案，或議事時間結束、議會休會為止。

7. **活動簡報：**簡報囊括的問題視主題而定。討論針對此主題所提出的事項與論點，同時評量各個立場的優點與缺點，並請學生評估自己在參與立法過程中所獲得的經驗。最後，請學生討論以此活動作為教學工具的效果，包括各自扮演其角色的成效如何，作為整個活動的結尾。如果有資源人士到場協助學生進行活動，最後討論的部分應該包括這個人物在內。

## 簡易法庭

簡易法庭讓學生能以最少的人數與簡單的論證規則，參與扮演法官審案當中的角色。這類法庭主要有三個角色：一個是法官，負責聽取雙方的說法，進行最後的裁決，另一個是原告，負責向法官提出控訴，最後一個是被告，也就是被控犯錯或傷害他人者。

簡易法庭等於是一個簡化的版本，讓學生能一窺司法裁決的過程，班級全體同學因此都有機會積極參與此活動。

### 進行方式

1. **澄清主題：**協助學生了解所審案件的相關事項與議題，學生課本與教師手冊中，已清楚說明這些案件的始末。
2. **聯絡資源人士：**邀請律師或法官協助擔任資源人士。
3. **分配角色：**把全班同學平均分為三組 —— 法官、原告與被告。
4. **準備報告：**請學生先分組討論，一起準備報告內容。每個學生都必須積極參與角色扮演，因此這個階段的準備與討論，就顯得格外重要，有了萬全的準備，才能有效參與活動的過程。學生課本與教師手冊中均有明確的說明，指出學生該如何運用思考工具，準備參與角色扮演活動。

請分配到法官這組的學生，先針對整個案件與相關議題進行了解，請他們準備一些問題，以便在原告與被告發言的階段，向他們提問。這些問題設計的目的，應該是為了澄清與討論議題相關的各項立場，因為法官稍後得針對這些立場進行裁決。教師記得花一些時間，和扮演法官的小組共同複習一些與程序相關的簡單規則，例如下列規則：

(1) 原告應先發言，發言過程中被告不能打斷，發言結束後再由被告發言。

(2) 讓雙方提出簡短辯駁。

(3) 法官可以隨時打斷雙方發言，提出疑問，以澄清雙方的論點。

請分配到原告和被告的小組成員，各自準備一段開場陳詞，同時準備一些論點，用以支持自己針對相關議題的立場。

5. **布置教室場地：**這個活動將會有多個法庭同時開庭審理案件，把全班課桌椅分為三套一組，以便讓三人小組進行角色扮演的活動。

6. **開庭審理案件：**活動開始之前，先分配好三人一組，其中一人來自法官小組，一人來自原告小組，另一人則來自被告小組。教師可以讓法官先就定位，站到教室裡根據桌椅分配的每個小組的法官席上，然後再請一名原告和一名被告加入每個小組。如果能準備「角色」標籤，讓學生能一眼認出誰是法官、誰是原告與誰是被告，就可以讓分組工作進行得更加順利。

    請依下列程序進行此活動：

(1) 向法官說明，只要每組的原告與被告就定位，就可以開始審理案件。

(2) 法官應先聽取雙方的開場陳詞 —— 先由原告發言，然後再由被告發言，這類陳詞應有適當的時間限制。

(3) 原告說明論點，並接受法官質詢。

(4) 被告提出辯解，並接受法官質詢。

(5) 法官請雙方提出簡短辯駁。

(6) 法官進行裁決，並說明理由。

7. **活動簡報：**簡報囊括的問題視主題而定。先請個別的法官和全班同學分享他們的裁決結果，以及如此裁決的理由。討論審案過程中所提出的事項與論點，評量各個立場的優點與缺點，同時請學生針對審案過程進行評量。最後，請學生討論以此活動作為教學工具的效果，包括各自扮演其角色的成效如何，作為整個活動的結尾。如果有資源人士到場協助學生進行活動，最後討論的部分應該包括這個人物在內。

## 模擬法庭

模擬法庭是以上訴法庭或最高法院的聽證會為模擬基礎。這類法庭有一組法官，必須重新衡量一般或高等法院的判決結果，過程中不會傳喚證人，也不會針對案件中的基本事項進行爭辯，而是以法律的應用、法令的內容，以及先前法院所採之程序的公平性為討論重點，從很多方面看來，模擬法庭都像是一場辯論會，雙方各自陳述已方的論點，以便法官作為考量的依據。

由於模擬法庭關注的焦點不在證人證詞的可靠性，這反而是一種有效的策略，可以讓學生把注意力集中在權威、隱私、責任與正義的潛在原則與觀念上。

### 進行方式

1. **澄清主題：**協助學生了解所審案件的基本事項或所涉及的法律或憲法問題，學生課本與教師手冊中，已清楚說明這些案件的始末。另外還要確定學生了解上訴法庭所採用之訴訟程序的目的與程序。
2. **聯絡資源人士：**邀請律師或法官協助擔任資源人士。
3. **分配角色：**指派學生擔任法院中的法官角色，可以同時有五名、七名或九名法官，把其餘學生分為兩組，分別代表訴訟雙方，一組代表提起訴訟的個人或團體，也就是原告，另一組代表自我辯護的個人或團體，也就是被告，有時上訴法庭中會採用一些其他的說法，例如上訴人或被上訴人，來代表原告與被告雙方，不過為了教學方便、簡單明瞭起見，最好還是只用原告與被告這兩個詞彙。

4. **準備報告：**請學生先分組討論，一起準備報告內容。每組都應選出一至二名學生，負責陳述整組的意見。學生課本與教師手冊中均有明確的說明，指出學生該如何運用思考工具，準備參與這個角色扮演活動。

　　請分配到法官這組的學生，先針對整個案件與相關議題進行了解，並請他們先討論所有必須先行處理的問題，以便提出最後的判決。法官這組應選出一名同學擔任主審法官，負責主持整個聽證過程，請雙方代表提出陳詞，另外法官可在不經任何人同意的情況下，提出問題（也就是說，法官可以隨時打斷雙方律師的發言，提出疑問）。

　　參與者應有共識，了解案件摘要中提及的所有事項，均是已經審訊的結果，不需經過更進一步的爭辯。

　　雙方辯論的內容不應集中在法律層面的技術問題上，只要是具有說服力的觀點，無論從哲學角度、理論角度、觀念角度或實際角度，都可以提出。另外雙方應以美國憲法中樹立或暗示的原則，作為論述的基礎。

5. **布置教室場地：**把教室布置成上訴法庭的樣子，法官的座位應安排在教室前方的桌前，雙方律師應背靠教室雙邊，相對而坐，面向法官，其他組員應分別坐在己方律師的背後。也可以帶領全班同學到上訴法院或法律學院的模擬審訊室去進行這項活動。

6. **開庭審理案件：**主審法官應負責掌管審訊程序，首先宣布全體肅靜，然後依照下列程序一一進行：

   (1) 雙方應各有五到十分鐘的時間，進行開場陳詞，並有五分鐘的時間提出辯駁，主審法官應請雙方依下列順序發言：

- 原告　開場陳詞
- 被告　開場陳詞
- 原告　辯駁陳詞
- 被告　辯駁陳詞

(2) 在每段陳詞進行當中／之後，法官可以、也應該主動質詢律師，以便盡量澄清雙方的論點，律師在回答問題之前，可以要求法官先給一點時間，以便和其他組員討論協商。不過為了審訊時的清晰度與延續性，律師在進行開場陳詞時，最好先有三分鐘的時間說明立場，再讓法官提出疑問。

(3) 等雙方都發言完畢之後，法官應圍成一圈，針對發言內容進行考量，並以多數表決做出裁決。每位法官都應為自己的立場提出理由，進行說明。其他同學可以坐在圓圈外面旁聽，但是不能說話，也不能打斷法官的討論。

7. **活動簡報：**簡報囊括的問題視案件而定。先請法官和全班同學分享他們的裁決結果，以及如此裁決的理由。法官應提出各種不同的意見。討論審案過程中所提出的論點，評量各個立場的優點與缺點，同時請學生針對本身在審案過程中所獲得的經驗進行評量。最後，請學生討論以此活動作為教學工具的效果，包括各自扮演其角色的成效如何，作為整個活動的結尾。如果有資源人士到場協助學生進行活動，最後討論的部分應該包括這個人物在內。

碰上實際的案件時，教師應在最後簡報的這個階段，和全班同學分享法院真正的裁決結果。為了避免學生有某個答案是「正確」答案的觀念，其他不同意見的相關部分也應一併提出。協助學生了解多數意見與相異觀點各自背後不同的思維。

## 調解

調解是由公正無私的個人或機構，協助解決利益衝突雙方的爭議或歧見，例如勞工與管理階層之間的問題，或訴訟案件中當事人雙方的爭議。

調解人員先和雙方代表會面，試圖促成溝通、加強了解與澄清議題，從而達成雙方都能感到滿意的共識或決議。調解人員無權強制雙方達成任何共識。

這種類型的角色扮演活動，可以讓學生了解另一種解決爭議的方式，同時明白並非所有爭議都得到法院才能解決。

## 進行方式

1. **澄清主題：**協助學生了解爭議相關事項，學生課本與教師手冊中，已清楚說明這些案件的始末。另外還要確定學生了解調解的目的，調解與其他排解紛爭之方式的不同之處，以及調解的一般程序。
2. **聯絡資源人士：**邀請調解人員或律師協助擔任資源人士。
3. **分配角色：**把全班分為人數均等的三組，分別代表調解人員與產生爭議的雙方。
4. **準備報告：**請學生先分組討論，一起為參與調解庭進行準備。每個學生都必須積極參與角色扮演，因此這個階段的準備與討論，就顯得格外重要。學生課本與教師手冊中均有明確的說明，指出學生該如何運用思考工具，準備參與這個角色扮演活動。

   請調解人員檢視與爭議相關的各種事項，然後準備進行角色扮演。記得花一些時間，和調解人員一起複習一般用來調解爭議的程序，調解人員應依照下列說明進行調解：

   (1) 介紹產生爭議的雙方，並說明調解爭議的流程，強調沒有人會強迫雙方達成和解。教師的角色則在引導調解程序的進行，並確保每個人都能坦誠發言。
   (2) 協助雙方說明爭議內容，提出一些開放性的問題，例如「後來呢？」仔細傾聽雙方的說法，只要有人正在發言，眾人都要仔細傾聽，不能隨意打斷。
   (3) 不要試著判定爭議中誰對誰錯，找出雙方共同的利益與疑慮，協助雙方看清彼此間的正面關係，同時提醒他們，他們未來可能還想維持這種關係。

(4) 協助雙方找出解決爭議的方式，同時協助他們評估其他解決問題的方法。

(5) 協助雙方簽訂協議，清楚載明雙方在和解方案中應負之責任。

請爭議雙方先準備想在調解過程當中說明的內容，同時想想有哪些地方他們願意採取折衷。

5. **布置教室場地：**這個活動將有多個協調會同時進行，因此把教室裡的桌椅分為三套一組，每套桌椅各給其中一個角色使用。

6. **進行調解：**活動展開之前，先把每三名學生分為一組，其中一名來自協調人員那一組，另外兩人則分別來自產生爭議的雙方。教師可以讓協調人員先就定位，然後再讓代表爭議雙方的學生分別加入，如果能準備「角色」標籤，讓學生能一眼認出誰是調解人員，誰扮演產生爭議的雙方，就可以讓分組工作進行得更加順利。另外，教師還可以準備一些額外的活動，讓提早完成調解的小組有事可做。

依下列程序進行此活動：

(1) **簡介：**調解人員安撫產生爭議的雙方，並說明調解的基本規則，強調調解人員的角色不在選邊站，而在協助雙方達成協議。

(2) **說明爭議內容：**雙方各自說明爭議內容，先由表示不滿的一方發言，一方發言時，另一方不准插嘴。

(3) **找出事項與議題：**調解人員嘗試找出雙方具有共識的事項與議題，要做到這點，調解人員必須傾聽雙方的說法，摘述雙方的觀點，並詢問這些事項與議題的內容，是否與雙方的理解一致。

(4) **找出其他解決方法：**每個人都想想可能用來解決這個問題的方法，調解人員把可能用來解決的方式列出來，請雙方針對每一種方式，說明自己的感覺，然後以雙方表達的感受內容為基礎，修改這些可能使用的解決方式，同時試著找出一種雙方都能同意的解決辦法。

(5) **達成協議：**調解人員協助雙方達成雙方都能接受的協議，協議內容應以書面載明，雙方也應討論若有一方違反協議，應如何處理。

7. **活動簡報：**簡報囊括的問題視爭議涉及的議題而定。先請每一位調解人員，敘述他們那一組所達成之協議的內容，如果有某一組協調陷入僵局，就請那一組的調解人員說明達成協議的障礙所在。請學生評量所採取之立場，以及用來發展與支持某一立場之程序的優點，同時請學生針對本身在調解過程中所獲的經驗進行評估。最後，請學生討論以此活動作為教學工具的效果，包括各自扮演其角色的成效如何，作為整個活動的結尾。如果有資源人士到場協助學生進行活動，最後討論的部分應該包括這個人物在內。

## 市政大會

市政大會讓社區成員有機會參與決策過程。社區論壇通常會討論一些與公共政策相關的問題，市政大會可以和市議會或縣議會發揮類似的功能，作為地方統治與決策的單位，也可以以提供建議為本質，讓獲選的議員了解選民的觀點。

### 進行方式

1. **澄清主題：**協助學生了解市政大會的主題，學生課本與教師手冊中，已清楚說明這些主題的內容，另外還要確定學生了解市政大會的本質與目的。
2. **聯絡資源人士：**邀請市議會成員或地方利益團體擔任大會主題的資源人士。
3. **分配角色：**分配學生擔任下列角色，以便市政大會順利進行：
   (1) 主席
   (2) 在市議會或縣議會中代表整個社區的獲選官員
   (3) 贊成提案的代表團體
   (4) 反對提案的代表團體

(5) 紀錄

4. **準備報告：**保留一些時間，讓學生根據各自被分配到的角色，準備參與市政大會。學生課本與教師手冊中均有明確的說明，指出學生該如何運用思考工具，準備參與這個角色扮演活動。
5. **布置教室場地：**預備一張桌子給主席和獲選官員使用，一張書桌給紀錄人員使用，以及一張講桌，以便利益團體的成員和社區成員發言使用。準備一個議事槌，還有上面載明學生姓名與角色的名牌。也可以讓學生到當地立法單位的聽證室或委員會討論室去進行這項活動。
6. **進行市政大會：**應依下列程序進行這項活動：

(1) 主席宣布肅靜，說明開會的目的，同時介紹與會的官員。與會官員可以針對討論議題之重要性（而非個人針對這個主題的觀點），做一個簡單的開場，然後由主席說明議事規則，例如發言的時間限制等。

(2) 如果發言時限已到，主席有權打斷發言。除非獲得主席許可，否則任何人都不得發言，也不能打斷他人的發言。如果有人發言內容偏離討論主題，以言語攻擊他人或以任何方式阻礙會議進行，主席可以判定此人違反議事規則。

(3) 主席請贊成提案之團體代表，負責說明本身的立場。這名代表發言完畢之後，可以請相關證人上台發言，然後由主席宣布，所有贊成提案者都可以起身發言，發言順序則依起身的先後順序而定，或者教師也可以讓學生先報名，然後再請主席依報名順序請學生一一發言。

(4) 主席請反對提案之團體代表發言，這名代表發言完畢之後，可以請相關證人上台發言，然後由主席宣布，所有反對提案者都可以起身發言，發言順序則依起身的先後順序而定。

(5) 等雙方所有人士都享有發言的機會以後，主席徵求額外的討論或辯論，在這段時間裡，每個人都可以起身，經主席同意後發言，提出自己的觀點或反駁他人的觀點。

(6) 等討論或辯論結束之後，主席請全班同學針對討論提案進行表決，最後以多數決。

7. **活動簡報：**簡報囊括的問題視議題而定。先討論提案的表決結果，以及針對此主題所提出的事項與論點。請學生評量所採取之立場，以及用來發展與支持某一立場之程序的優點，同時請學生針對本身在市政大會中所獲的經驗進行評估。最後，請學生討論以此活動作為教學工具的效果，包括各自扮演其角色的成效如何，作為整個活動的結尾。如果有資源人士到場協助學生進行活動，最後討論的部分應該包括這個人物在內。

## 辯論

辯論開始之前有個前提，就是參與辯論者對某個特定議題已有解決辦法或處理方式，辯論者意圖說服他人，要他人相信自己的解決辦法或處理方式最為適當。

辯論是一種有效的方式，可以鼓勵學生以證據為基礎，清楚而合乎邏輯地發展出自己的論點。辯論可以訓練學生如何充分支持針對某一議題所採取的某個立場，同時培養與加強個人影響民意或改變公共政策的能力，讓人對自己在這方面的能力更有自信。

### 進行方式

1. **澄清主題：**協助學生了解辯論主題，學生課本與教師手冊中，已清楚說明這些主題的內容。以解決方案的形式提出主題（解決方案總意味著現狀必須有所改變，例如：美國最高法院應判定死刑違憲）。
2. **聯絡資源人士：**邀請社區或地方利益團體的成員擔任與辯論主題相關的資源人士。
3. **分配角色：**遴選參加辯論的學生，把這些學生分為兩隊，一隊支持這項解決方案，另一隊則反對這項解決方案。確定參與辯論的學生，全都熟知辯論的流程，選出一名主持人和一名計時人員。

4. **準備報告：**保留足夠的時間，讓學生能發展出他們「有建設性的論點」（以三到五個符合邏輯的要點所發展出來的論點，而且有實際證據的支撐，用來支持某個特定立場），協助學生掌握問題的範疇，同時針對自己在辯論中捍衛的立場，發展出清晰、合乎邏輯，而且有明確證據的論點。此外，還要請學生事先預測對方的觀點，以便準備「反駁的論點」。

   協助學生了解辯論模式一些隱而不顯的價值，例如從另外一個參考框架出發，試著發展出具有說服力的論點——假如有人在辯論中辯護的立場和本身原本信奉的立場不一致，就可能出現這種狀況。這種訓練也可以讓學生更加了解並尊重他人保有不同之意見與信念的權利。

5. **布置教室場地：**主持人和辯論雙方坐在觀眾席前方，通常反方坐在主持人左邊。

6. **進行辯論：**此處所述為一般廣泛應用的辯論模式，這種模式十分正式，也可以採用較不正式的辯論程序，或者運用一些其他的辯論模式。

   (1) 主持人簡短介紹辯論主題與即將接受辯論的解決方案，並說明雙方發言人必須遵守的時間限制。

   (2) 主持人介紹正方第一位發言人，並請這位發言人提出「有建設性的論點」，辯論一方每位成員要提出「有建設性論點」的順序，應事先決定。發言時間到時，計時人員應通知發言人。

   (3) 主持人介紹反方第一位發言人，並請這位發言人提出他的「有建設性的論點」。

   (4) 接著主持人介紹正方第二位發言人，反覆此流程，直到雙方每一位辯論者都已提出論點為止。

   (5) 「有建設性的論點」之後，接著是「反駁的論點」，此時每一名辯論者都有機會攻擊對手的立場，同時答覆對手對己方立場的攻擊，藉以動搖對方的立場。在反駁的這個階段，雙方都不應提出新議題。反駁部分通常由反方率先發言，同樣反覆上述流程，直到雙方都提出反駁論點為止。

(6) 辯論完畢之後，主持人提出幾點結論，辯論正式結束。

7. **活動簡報：**教師可以利用非正式民調的方式，徵求全班同學的意見，看有多人同意正方的看法，多少人贊成反方的看法，藉以評估正反雙方的辯論團隊，哪一邊表現較佳。接著教師可以請班上同學說明，聽完辯論會以後，他們本身的立場是否有所改變或更加堅定，原因何在？同時，請學生針對本身在辯論會中所獲得的經驗進行評估。最後，請學生討論以此活動作為教學工具的效果，包括各自扮演其角色的成效如何，作為整個活動的結尾。如果有資源人士到場協助學生進行活動，最後討論的部分應該包括這個人物在內。

## 數線解析法

數線解析法是一種練習方式，讓參與者在面對某個具有爭議性的議題時，同時面臨各種可能出現的不同態度或處理辦法。參與者必須自行判定，數線上囊括的哪些部分（例如十分同意或十分反對）和他們本身的態度最為接近。一些明顯具有爭議或容易引起正反兩極立場的議題，最適合使用這種方法，這類議題應該是正反兩面的觀點都合法，例如某個修正案是否最能做到平權，或槍械管制是否能有效阻止犯罪等無法辯論的議題，例如大屠殺或對兒童的性侵害是否合乎道德，顯然不在使用這類討論方式的合理範圍之內。

數線解析法是一種很有用的工具，可以用來引介具有爭議性的議題，協助學生釐清與某個既定主題相關的各種價值觀或看法，同時了解支持這些立場背後的思維模式。數線解析法是一種井井有條的方式，可以用來討論具有爭議性的議題，尤其在每一課剛開始的階段，學生還只能表達膚淺看法、無法提出成熟意見時，最為適用。

## 進行方式

1. 鎖定討論主題，這個主題應該要能引發兩極的立場，例如死刑的問題。
2. 在展開活動之前，必須先培養課堂上的信任氣氛，讓每個人都能自由抒發己見，這點十分重要。保持接受、不妄下評斷的態度，是公開討論能夠成功的重要關鍵。
3. 教師在活動一開始時，應先詳細描述要討論的議題，讓大家都能清楚掌握正反兩極的立場，並將這些立場寫在黑板上。
4. 請學生寫下他們針對這個議題的立場（例如十分同意、同意、無法決定、不同意、十分不同意），並將持此立場最重要的兩個原因列出來。
5. 趁學生在書寫本身意見的這段時間，教師可以在黑板上畫一條數線，等學生寫完以後，教師可以將一些可能出現的極端立場簡短列在數線旁，然後請幾位學生根據自身立場落在數線上的位置，站到黑板上的數線之前。
6. 此時應請學生說明或澄清 —— 但非辯護 —— 本身的立場。請學生在傾聽他人說明立場時，沿著數線移動，調整自己的位置。
7. 現在可以請學生說明自己站在目前位置的理由，教師可以把學生所提出各種不同的原因貼在黑板上，學生可以針對有關本身想法的問題提出答覆，不過在這個階段不宜進行爭辯。
8. 為了確定學生能傾聽並考量反對意見，教師應請全體學生說明，有哪些論點雖然與他們本身的立場相左，卻能引他們再三考量或深思，或者是他們認為最有說服力的。
9. 最後請學生考量採取各種策略的結果，包括請學生考慮與討論議題相關的現行法律或政策（如果有的話），接著讓學生討論，數線上這些各種不同的極端立場，對整個社會以及對個人會有什麼樣的影響。

### 整理筆記

記筆記是一種有系統的方式，可以讓學生自己記下陳述內容的摘要、個人的省思，或者在某個特定實例中學到的問題。整理筆記可以促使學生反省學習內容的「是什麼」、「為什麼」，以及「如何做到」，多花些時間反省思考是一種很好的學習習慣，值得努力培養。另外，記筆記還有一種連帶的好處，就是可以鍛鍊寫作技巧。

由於「民主基礎系列」課程的內容，包含了許多嶄新的觀念與經驗，因此讓學生有機會反省所學，就顯得格外重要。教師手冊中已指出一些可以整理筆記的時機，但其實這個課程裡，還有很多其他的機會也可以整理筆記，例如每一課上完的時候，或者每一個活動結束的時候，都可以保留幾分鐘的時間，讓學生寫下一段筆記。鼓勵學生針對所學內容進行更多層面的討論，把自己針對某課的反應寫下來，或者把某個活動的結果、某一課或某個活動針對某個議題提出的問題，一一記下。有時教師可以指定學生把整理筆記的工作當成家庭作業。

至於教師是否要批改學生筆記的內容，端賴個人的選擇，只是教師應定期查看學生的筆記，針對筆記內容給予學生一些回饋意見。在筆記本內寫上一些個人的評論與觀察，可以作為一種有效的工具，建立和學生對話的管道。記得鼓勵學生，如果願意的話，可以和同學或父母分享筆記的內容，以便讓自己與他人了解所學。

## 評量學習成果

「民主基礎系列」課程中的觀念、知識與技巧十分複雜，要評量學生的學習成果，需要廣泛運用各種方法，從比較傳統的紙筆測驗，到以表現為基礎的評量方式，都包括在內。

傳統的紙筆測驗可以用來測試學生是否了解特定的觀念、想法或程序，以及是否掌握相關知識。不過，有些學生參與的學習活動，需要具備複雜的知識與技巧，因此教師也應以類似的方式，來衡量學生的學習成果。舉例而言，參與模擬立法聽證會的學生，應以類似與同等的方式，來展現習得的知識與技巧，因此以表現為基礎的評量方式，就很適合在互動式的學習策略中，用來評量學生的學習成果。

以實際表現為基礎的評量方式，和傳統紙筆測驗最大的不同之處在於，學生不必針對和明確、獨立事項相關的問題，辨認與選擇正確的答案。在以表現為基礎的評量方式中，學生可以在富有意義的框架（例如立法聽證會）之內，處理一些複雜的問題，藉以展現自己的知識與技巧，而這類問題通常正確答案都不只一個，正因如此，學生可以架構或創造一些適合的答案或成果，作為展現所知與所能的方式。

以實際表現為基礎的評量方式尤其適合「民主基礎系列」課程所強調的內容、技巧與學習經驗。一些課堂上的學習活動，例如小組討論、模擬法庭、辯論與其他創造性的學習活動，都是將以表現為基礎的評量方式納入學習活動的大好良機。課本上各單元的排列方式，已設計好讓各單元的最後一課或最後幾課，可以提供富有意義的框架，讓學生展現所學的知識與技巧。此外，每個觀念的最後一課，都等於是最後高潮的學習活動，需要運用與此觀念相關的完整學習經驗，當然每一課「運用本課內容」的單元裡，也有一些其他的機會，可以將以表現為基礎的評量方式納入學習活動。

以下是一些一般性的建議，可以用來設計評量的方式，以評量學生在本課程的學習成果：

- 依某項行為使用的場合，來評量希望學生採取的行為，例如要評量學生做某件事的能力，就請學生做那件事。
- 請學生將類似的知識與技巧運用在其他類似的狀況裡，以評量學生應用在某個狀況下所學到之內容的能力。創造一些情境，讓學生能自行架構或創造適當的答案，而非只從固定的選單中選取答案。
- 評估學生某項表現或某項成果的過程與品質，而非評量他們找出正確答案的能力。強調支撐高品質表現或成果的思考與邏輯推理過程。
- 評量學生辨識各種相關想法與技巧之間的關聯性的能力，舉例而言，為了準備參加辯論，學生應能結合閱讀、研究、寫作、發言與批判性思考等種種技巧，學生還應該明白，其他方面的知識與技巧，對他們處理富有挑戰性的議題，會有什麼樣的幫助。

- 事先提出優良表現的標準，並確定學生都能清楚了解。在可能的情況下，提供優良表現的實際典範。
- 提出團隊合作效率十足、運作成功的標準，團隊合作與團體互動是非常重要的技巧，尤其當學生明白自己正在接受評量時，這種技巧更是不可或缺。
- 創造一些機會，讓學生可以評量自己的進步狀況，或判斷自己哪些地方做得好、哪些地方做得不好，這樣的做法可以協助學生將高標準內化，同時學會辨認自己何時已達到目標。由於本課程中大多數學習策略運用的次數都不只一次，因此學生可以一連有好幾次機會，回頭評估自己的進步狀況。
- 讓學生有許多機會獲得他人的回饋意見，包括教師、同學，以及到課堂上參加活動的社區資源人士。

## 反省學習經驗

「民主基礎系列」課程的教師手冊中，在每一課與每個單元的結尾，都建議學生回顧評量，自己在這一課或這個單元的教學內容上，做到了多少。此外，如果教師與學生在上完權威、隱私、責任與正義等每個觀念，或上完全部課程時，能回顧評估整個學習經驗，通常也會有很大的收穫，所謂回顧評估，包括針對用來教授此觀念的課程內容與教學方法，進行思考與評量。

每個觀念的課程（或者全部的課程）上完以後，分給每個學生一份後面的「學習經驗回顧」表，請學生回答表上的問題，提醒學生，他們不但應該回顧評量本身的經驗，也應該回顧評量全班的經驗。請全班同學一起討論，讓大家有機會分享自己針對「民主基礎系列」課程之學習經驗所做的反思。

## 學習經驗回顧

能針對自己有過的經驗或參與過的課程進行反省或思考，一向是件好事，這也是一種學習的方式，可以避免未來犯錯，以及提升本身的表現。

現在全班同學既已完成此課程，就有機會針對本身與全班同學的學習成果進行反省或評估，另外大家還有機會思考，如果要研習其他類似的主題，可以有哪些不同的做法。

運用下列問題來幫助自己反省評估學習經驗：

1. 我自己在和全班同學合作的過程中，學到了哪些與研習議題相關的事宜？
2. 我們全班透過閱讀、課堂討論與批判性思考練習，對研習議題有哪些深入的了解？
3. 這次學習經驗讓我學會或加強了哪些技巧？
4. 這次學習經驗讓全班學會或加強了哪些技巧？
5. 和同伴一起學習或是分成小組一起研習，有哪些缺點？
6. 和同伴一起學習或是分成小組一起研習，有哪些好處？
7. 我在哪些地方表現良好？
8. 下次我再學習一個類似的主題時，有哪些地方我會採取不同的做法？
9. 我們全班有哪些地方表現良好？
10. 下次我們班再學習一個類似的主題時，有哪些地方會採取不同的做法？

# 權威課程

## 權威課程簡介

課程一開始，教師可以提醒學生，權威 —— 家長、老師、學生、法官、立法人員、總裁以及警察等等 —— 碰觸到了社會中每一份子的日常生活。或許有些人可能認為權威是不必要的，它甚至是與自由和人性尊嚴相對立的。然而，多數人卻認為，權威是文明的基礎，對社會生活非常重要。美國人民常常表現出對權威的不信賴，卻又認為權威為可以解決紛爭、維持秩序。美國憲法清楚地反映出這種根本的矛盾心理：憲法提供了權威，同時也限制權威的實踐行使。

讓學生閱讀課本第 2 頁的簡介，和學生討論這對摘自美國《獨立宣言》文字的意義。請學生看附圖，並詢問學生對圖解中提出的問題：「在湯瑪斯 ‧ 傑佛遜所撰寫的美國《獨立宣言》中，哪些內容跟政府權威的來源有關？」有何看法。協助學生識別「受統治者的同意」是美國政府權威的來源。請學生想想公民可以運用哪些方法去影響政府對人民賦予之權威的使用。向學生說明權威課程將能幫助他們更了解權威的目標和用處，並讓他們更懂得身為自由社會的公民，可以如何有效處理日常生活中的權威議題。

對學生說明，他們將練習使用一些「思考工具」來評估並判斷權威議題。思考工具包括了有助於分析狀況和進行決策的一些概念、觀察，以及一系列問題。有關思考工具更詳盡的討論，及其如何運用，請閱讀本手冊第 7-8 頁。

## 第一單元：何謂權威？

### 介紹第一單元

向學生說明在本單元中，全班將討論一些議題，來幫助他們更了解權威與日常生活的關係，乃至權威與社區、州、國家及世界上常見爭議之間的關聯。

讓學生注意課本第 3 頁的圖，並請他們回答圖片下方的問題：「這些圖片如何說明權威？」

請學生回答下列兩個問題：

- 什麼時候別人有權命令你做事？
- 什麼時候你有權命令別人做事？

接著請全班閱讀單元簡介的其他內容。向學生說明，他們將在本單元學到如何界定權威，也能說明權威可見於哪些地方。學生將會懂得辨識權威的來源，明白權威來源通常存在於階級之間。比方說，老師權威的來源可以追溯到學校行政高層，乃至於教育委員會、州法、美國憲法，而其終極來源則是受統治者的同意。

請學生列出他們希望能在第一單元學到的四件事情，或是在本單元結束時能得到解答的四個問題。在學習本課程的過程中，如果學生有持續寫筆記，可以把他們想從本單元學到的目標記錄在筆記裡。在進行第二、三和第四單元的導讀時，也應該重複這個活動。

## 第一課：權威與權力有何不同？

### 課程概述

本課介紹「權威」的概念。學生將學習權威在本課程中的定義，接著將檢視一些當代發生的實例和假設的情境，以學習分辨行使權威和行使沒有權威的權力之間的差異。

### 課程目標

學完本課，學生應該能夠具備以下能力：

1. 為「權力」與「權威」下定義。
2. 分辨權威和不具權威的權力兩種不同的情境。
3. 說明他們辨別涉及權威和沒有權威的權力之情境所依據的理由。

4. 說明為什麼要學會區別權威和不具權威的權力之重要性。

## 課前準備／教材範圍

學生課本第 4-9 頁。

## 教學程序

### 一、本課介紹

在黑板上呈現「關鍵詞彙」，同時請全班閱讀課本第 4 頁的「本課目標」。引導學生討論「權力」和「權威」這兩個名詞。將全班學生分為兩組，讓一組思考「權力」的意義，另一組思考「權威」的意義。然後請學生向全班分享他們的想法。在黑板上，寫下學生認為「權力」與「權威」的定義；不要擦掉它們，做為稍後的參考。

### 二、批判思考練習

#### 分辨權威和權力

讓學生完成課本第 5 頁的批判思考練習：「分辨權威和權力」。請學生閱讀〈北愛爾蘭地下警察的正義〉一文，並回答「你的看法如何？」的問題。可以讓學生個別練習，或兩人一組一起練習。學生完成練習後，請他們與全班分享心得。學生的心得可能包括：

1. **文章中哪些人行使了權力？**

   地下警察：執行私刑讓罪犯或一般民眾殘廢，或恐嚇民眾

   警察：逮捕執行私刑的地下警察，調查非法法庭（袋鼠法庭）

2. **執行私刑者行使權力，和警察行使權力有何差別？**

   讓學生了解，警察擁有執行他們工作的「權威」，因為法律或習俗賦予政府官員這個權利。要確實讓學生了解，對他人行使權威的人們，是由習俗、法律或道德原則賦予他們這權利。你可以對學生強調，雖然人們有權利在特定情境下行使權威，但這並不能保證他們會公正、恰當或合乎道德地執行權威。

讓學生理解，北愛爾蘭共和軍的成員並不具有權威，他們沒有權利操控他人的行為。要確實讓學生理解，權力是操控他人的能力，而缺乏習俗、法律或道德原則賦予的權利卻行使權力的話，就是行使不具權威的權力。

## 三、閱讀與討論

### 權力或權威？

讓學生閱讀課本第 6 頁的「權力或權威」。與全班討論他們對於以下問題的看法：

1. 你的父母是否有權設定你的門禁時間？理由是？
2. 你是否有權命令弟弟或妹妹離開客廳，自己霸占電視？理由是？
3. 學校校長是否有權要求學生在上學期間不得離校？理由是？
4. 你的朋友是否有權命令你去做你不想做的事？理由是？
5. 政府是否有權要求你遵守你認為不正確的法律？理由是？

複習權力與權威的定義，以及課本中每一個例子。協助學生理解，權威是：(1) 權力，操控他人行為的能力；以及 (2) 權利，由習俗、法律或道德原則所賦予。

讓學生閱讀第 7 頁的圖片：「美國最高法院的法官們如何獲得權力與權威，以宣稱某項法律是違憲的？」

## 四、批判思考練習

### 說明權威和權力的不同

將全班學生分為三人一小組。請學生完成課本第 8 頁的批判思考練習「描述權威和權力的不同」。帶領學生閱讀每一種情境，並回答課本第 8 頁「你的看法如何？」的問題。各小組完成批判思考練習後，請他們與全班分享答案。1, 3, 4, 5, 10 是權威的例子，2, 6, 7, 8, 9 是沒有權威的權力的例子。

### 五、課程總結

請學生從自己的經驗或書籍、電視、電影舉出權威的例子，並請他們說明為什麼它們與權威有關。

讓學生看第 4 頁和第 8 頁的圖解說明「你認為德國納粹政府是行使權威，還是行使不具權威的權力？」以及「對於那些為了抗議越戰而燒毀入伍令的人，你認為美國政府有逮捕他們的權威嗎？」請學生表達他們的看法。

詢問學生的意見：他們認為能夠區分權威和不具權威的權力，是否重要？為什麼？

請學生回顧第 4 頁的「本課目標」。要求學生評估他們自認為達到本課目標的程度有多少。

### 課後練習

課本第 9 頁「學以致用」，可以讓學生更進一步應用分辨權威、不具權威的權力的知識。可以讓學生個別或分組來完成這些活動。讓學生與全班分享他們的成果。

## 第二課：權威的來源？

### 課程概述

學生將學習在某些角色（工作或職位）、機構、規則、法律、習俗和道德原則中，可以發現權威的存在。學生會學到一些用來判斷政府權威來源的論點，像是最高力量（神）或是受統治者的同意所賦予的權利。學生也會學到為什麼在某些狀況下，辨別和評估權威的來源是很重要的事情。在批判思考練習部分，學生要閱讀與討論文章和歷史文件，練習如何辨別和評估權威的來源。

## 課程目標

學完本課，學生應該能夠具備以下能力：

1. 對角色、機構、法律、習俗和道德原則，辨別權威的存在。
2. 指出角色、機構等等，是從哪裡獲得控制人們行為的權威。
3. 辨別某些統治者和政府所聲稱的權威來源是什麼。
4. 說明為什麼了解權威的來源很重要。
5. 評估文選和歷史文件的內容，判斷其中所宣稱的權威來源。

## 課前準備／教材範圍

學生課本第 10-18 頁。

## 教學程序

### 一、本課介紹

請學生條列他們曾經遇過的當權者或關於權威的情境。要求學生辨別這些權威的來源。

在黑板上呈現「關鍵詞彙」時，請全班閱讀課本第 10 頁的「本課目標」。

### 二、閱讀與討論

#### 權威在哪裡？

讓全班閱讀課本第 10 頁的「權威在哪裡？」請學生指出在哪裡可以發現權威。把學生的答案寫在黑板上，可能包括：

1. 角色（工作或職位）。
2. 機構。
3. 法律和規則。
4. 習俗。
5. 道德原則。

請學生從閱讀及個人經驗中舉例，說明在哪裡可以發現權威。學生可能舉的例子包括：

- **角色：**醫師具有為病人開處方箋的權威。
- **機構：**國會具有為國家制定法律的權威。
- **法律和規則：**遵守在特定時間回家的規定，就表示認可這項規則的權威。
- **習俗：**先到者先服務，是存在已久的風俗習慣。
- **道德原則：**大多數的學生在考試時不會作弊，因為他們相信這麼做是不對的。

指導學生了解國會是一個機構，根據憲法而創設，也受制於憲法，國會具有制定某些民眾必須遵守的法律的權威。國會議員所扮演的角色，賦予他們特權和義務。國會具有制定法律和規則的權威，而我們（以及國會）有義務遵守那些法律和規則。有些學生可能會注意到，美國國會沿襲許多傳統，例如國會職位人選以資深者為優先。國會的辯論通常會引用道德原則，國會成員據以判斷行為的對錯。

## 三、閱讀與討論

### 權威從哪裡來？

請學生閱讀課本第 11 頁的「權威從哪裡來？」學生將學習到，當權者和機構取得規範和控制我們行為的權利，其來源通常可能要一層層往前追溯。例如：教師控制一個班級的權威，是由校長賦予的，而校長是由教育官員任命的。教育官員由管理公立學校的教育委員會指派，教育委員會的權威源自州議會所制定的法律：州議會的權威源起於在州民的同意下所制定的州憲法。

請學生從其他常見的權威人物中，像是警察或法官，以圖解方式，追溯權威來源，然後和班上同學分享他們所畫的圖。

讓學生看課本第 11 頁圖，並回答圖片下方的問題：「國會制定法律的權威，其來源是什麼？」

### 四、閱讀與討論

#### 有哪些論點被用來支持統治者和政府的權威具正當性？

請學生閱讀課本第 12 頁「有哪些論點被用來支持統治者和政府的權威具正當性？」，將政府權威合理化的理由呈現在黑板上：1. 由最高力量授予的權利；2. 出生即繼承的權利；3. 由於才識出眾而獲致的權利；4. 受統治者同意所賦予的權利。請學生為每一項目下定義。指導學生辨別古往今來的政府是根據上述各項中的哪幾項，使其權威合理化。

讓學生看課本第 12 頁的圖，並回答圖片下方的問題：「宣誓效忠的字句，如何反映出權威來源的概念係來自於『受統治者的同意』？還有哪些方式，說明了人們同意被政府統治？」

### 五、閱讀與討論

#### 爲什麼了解權威的來源很重要？

請學生閱讀課本第 12 頁的「為什麼了解權威的來源很重要？」，然後和學生一起討論為什麼我們應該知道權威的來源。幫助學生了解在憲政體制中，政府的權威是受到限制的。在美國，辨別憲法是否有賦予國會制定某些法律的權威，或者是否有給予總統或法院做某些行為的權威，都是非常重要的。此外，也協助學生明瞭有些權威來源比其他權威來源更重要，如聯邦法律的位階高於州法。

### 六、批判思考練習

#### 辨別權威的來源

在這個練習中，學生閱讀幾篇文選與歷史文件，辨別課本第 13 頁中所說明的權威來源。將全班分為五組，每一組討論一個主題。第一組：好客的規定、第二組：廷克訴迪摩因市獨立學區、第三組：論公民不服從的責任、第四組：《五月花號協定》、第五組：《美國憲法》。請各組討論每一小段最後「你的看法如何？」的問題。讓學生有充分時間完成練習。待學生完成後，請各組與全班分享心得。

讓學生閱讀課本第 14 至 17 頁的圖片說明：「廷克的孩子們戴反戰臂章上學，他們依據的權威來源是什麼？」、「梭羅抗議 1846 年美墨戰爭，他所依據的權威來源是什麼？」、「根據五月花號協定，普利茅斯殖民地統治者認為他們的權威來源是什麼？」、「草擬《美國憲法》的先驅們是根據什麼樣的精神來訂定美國的憲法？」請學生發表心得。

### 七、課程總結

請學生回顧第 10 頁的「本課目標」，並自我評量達成多少。

### 課後練習

課本第 18 頁「學以致用」的活動，可以讓學生更進一步運用關於權威來源，以及了解權威來源重要性的知識。讓學生獨自或分組來完成這些活動。

## 第三課：如何運用權威？

### 課程概述

本課說明缺乏有效權威所可能引發的問題。學生閱讀摘錄自洛克《政府論兩篇》及梭羅《論公民不服從》的文章，檢視文中對於是否需要政府權威的觀點。學生將學到權威保護我們的權利、提供秩序和安全、化解衝突，並分配社會的益處與負擔。最後，學生將檢視法庭如何執行它的權威，化解一家礦產公司和環保署的紛爭。

### 課程目標

本課結束時，學生應該具備以下能力：

1. 說明如果沒有政府權威會引發什麼問題。
2. 能辨別一些行使權威的重要例子。
3. 評估某個情境，判斷政府應如何運用權威解決問題。

## 課前準備／教材範圍

學生課本第 20-25 頁。

## 教學程序

### 一、本課介紹

請學生針對買車和開車所涉及到的所有規定和當權者（位處權威職位的人）做一個圖表，把學生的回答記錄在黑板上。詢問學生有關汽車使用的法規限制是否太多？其中當權者的介入是否太多？如果沒有法規、規定和權威職位來管理汽車買賣等問題，會造成什麼結果？這些規定和法規存在的理由是什麼？

讓學生看課本第 20 頁的圖，並回答圖片下方的問題：「如何以 1992 年洛杉磯暴動為例，說明我們需要權威？」

在黑板上呈現「關鍵詞彙」，同時讓全班閱讀課本第 20 頁的本課目標。

### 二、閱讀與討論

#### 我們爲什麼需要權威？

讓學生閱讀課本第 20 頁的「我們為什麼需要權威？」。請學生想像在自然狀態中的生活狀況 —— 如果沒有規定和法律、沒有警察和其他不可或缺的權威職位來執行法令，或沒有法庭仲裁紛爭，會是什麼樣的景象。請學生回答課本的三個問題：

- 可能會產生什麼問題？
- 你還擁有什麼權利？
- 你如何保護你的權利？

請學生向全班同學分享答案。

### 三、批判思考練習

#### 評估政府存在的必要性，並表達自己的立場

讓學生和一個夥伴合作，完成課本第 21 頁的批判思考練習「評估政府存在的必要性，並表達自己的立場」。學生讀完洛克及梭羅的文章後，請他們回答課本第 22 頁「你的看法如何？」的問題。要求學生向班上同學分享他們的答案。以下是學生針對問題可能回答的答案：

1. **根據洛克的見解，如果沒有政府的權威，會引發什麼樣的問題？**

(1) 生活可能危險且充滿恐懼。

(2) 可能無法確保人們能享受自由，因為人們總是處於腹背受敵狀態中。

(3) 個人財產沒有保障。

(4) 可能無法建立經過全民同意且眾所周知的法律制度。

(5) 可能沒有對錯標準可以調解紛爭。

(6) 可能沒有具有權威的法官可以協調紛爭。

(7) 可能沒有當權者可以執法。

2. **洛克認為政府權威的來源是什麼？**

人們尋求他人分享安全的需求，並加入團體生活以保障個人的生活、自由及財產。人們聚集一起，以接受政府權威的保護；他們同意根據規範體系而設立的懲處機構。這就是立法、司法和行政的權威來源。

3. **梭羅主張需要政府權威的立場是什麼？**

讓學生複習一下梭羅的看法：當人們都認為管得少、甚至放手不管的政府是最好的政府，那麼政府就沒有存在的必要。梭羅認為政府是一個錯誤的實驗，它對人們並不是真的很有幫助，而且政府的權威很容易被濫用。

4. **如果沒有政府，人們必須準備要面對哪些社會變化？**

鼓勵學生思考這個問題。他們可能會指出，如果我們的社會沒有政府，人們可能會需要下列事項：責任感、合作、正義、共同同意的行為規範，以及管理衝突的程序。

## 選擇性的教學練習

學生閱讀並討論洛克與梭羅的文章後，讓學生進行辯論，題目是「為了讓社會井然有序地運作，政府是否是必要的？」

首先將全班分為五組。第一組是正方，採取洛克認為政府必須存在的立場，因為沒有政府將會引發許多問題。第二組是反方，採取梭羅認為政府不但不必要，而且不受歡迎的立場。第三組對第二組的立場提出反駁。第四組對第一組的立場提出反駁。第五組則主持辯論，並在進行結論時對第一至四組的論點提出問題。

讓第一至四組有充分時間準備論點，第五組則準備結論的問題。每一組應選出一位紀錄，記下準備論點時的重點，和一位代表該組發言的發言人。在準備期間，學生應該參考學生課本的文章內容。

按照組別依序進行辯論。每一組的辯論時間為 5 到 7 分鐘。結論時，請第五組向其他四組提問。鼓勵所有學生發表意見。

辯論結束後，讓學生投票表決正、反方誰獲勝。請幾位學生說明他們提出論點的根據。討論如果沒有政府權威可能引發的問題，以及若有政府權威將如何解決那些問題。

## 四、閱讀與討論

### 權威的運用

讓全班閱讀課本第 22 至 23 頁的「權威的運用」，要求學生指出我們運用權威解決社會問題的方法。將學生的答案寫在黑板上，答案必須包括下列內容：

- 權威可用於保護重要的權利和自由。
- 權威可用於確保公平分配資源和負擔。
- 權威可用於和平且公正地處理紛爭。
- 請學生從文章及個人經驗中擷取例子，說明權威的運用。

## 五、批判思考練習

### 評估權威的運用

將全班分為三人一組，完成課本第 24 頁的批判思考練習「評估權威的運用」。這部分的內容，描述礦產公司將有毒廢棄物倒入蘇必略湖中引發的一些問題，而環保署及聯邦法庭如何使用權威解決這些問題。

學生開始進行練習前，先瀏覽課本第 24 頁的「你的看法如何？」的問題。學生讀完礦產公司的文章並回答問題後，請學生與全班分享他們的答案。學生的答案可能包括：

1. **權威如何運用於解決水污染問題？**
   (1) 環保署制定法規，用來預防污染等問題。
   (2) 環保署與礦產公司協商，以尋求現存問題的解決方式。
   (3) 環保署對礦產公司提出告訴，控告它沒有遵守環保署規定的環保法規。
   (4) 法院審理這起案件，並做出裁決。

2. **如果欠缺有效的權威來處理這個問題，將會引發什麼問題？**
   (1) 礦產公司可能繼續營業，水源也可能繼續被污染。
   (2) 礦產公司可能會嘗試解決污染問題，但廢棄物可能沒辦法有效控制，或控制的速度不夠快，不足以防止不良的結果。
   (3) 該地區居民會生病。
   (4) 對於該公司的控制行動將窒礙難行。
   (5) 社區成員將可能企圖使用暴力等強制手段對抗礦產公司。

3. **還有哪些方法可以運用權威解決這個問題？**

   環保署可以制定新法規以控制污染，而不會讓該公司面臨嚴重的財務危機。聯邦政府可以贊助研究，以尋找更快、更有效丟棄廢棄物的方法。

### 六、課程總結

讓學生看課本第 23 頁的圖，並回答圖片下方的問題：「如何運用憲法的權威來保護宗教信仰的自由？」，以及「如何運用法律體系的權威來處理紛爭？」

請學生回顧課本第 20 頁的「本課目標」，並自我評量達成多少。

第一單元的練習到本課結束。請學生在筆記寫下學習摘要：權威和權力的區別，以及權威的來源及權威的使用。學生亦可以記下不明白的地方，或者想更進一步探討的問題。

### 課後練習

課本第 25 頁「學以致用」，可以讓學生更進一步運用我們如何使用權威解決社會問題的知識。可以讓學生個別或分組來完成這些活動。請學生與全班分享他們的心得。

## 第二單元：如何評估權威職位的候選人？

### 介紹第二單元

學生已經學到權威會透過職位的形式而展現出來，像是教師、警察、市長、法官和總統。這些職位具有權威並影響我們的生活。因此必須讓學生獲得評估權威職位人選的知識、技能和意願，使其在選擇人選時，能夠做出知情且明智的決定。本單元會介紹用於選擇權威職位人選的一系列步驟程序，或謂「思考工具」，旨在幫助學生在處理這類事務時，做出合理的決定。

選出稱職的職位人選之步驟如下：

1. 辨別該職位的責任、職權、特權和限制。
2. 辨別擔任該職位所應具備的特質。
3. 辨別職務候選人的優點和缺點。
4. 選擇適當的人擔任權威職位，並說明理由。

讓學生看課本第 27 頁的圖，請學生辨別圖中行使權威的人，美國前總統歐巴馬以及一位警察，並請學生對此問題表示看法：「不同的權威職位，應該要有什麼樣的資格條件？」。然後，請學生閱讀本單元的介紹。請學生說說在學生會長選舉、總統大選或是聘誰擔任警員或學校教師當中，他們是如何決定人選的？在選擇某特定職位的人選時，為什麼考量他／她是否合格、稱職是很重要的事情？和全班一起討論，如果資格不符的人擔任權威職位，可能會引發哪些問題。

請學生列出他們希望在本單元學習到的事物，或是在本單元學習結束後他們希望獲得解答的問題。

## 第四課：如何選擇合適的人擔任權威職位？

### 課程概述

學生將學習辨別勝任某一權威職位的必要條件，以及擔任此職位者所應具備的資格。學生將學習一套思考工具，有助於分析職位的責任，並判定某人是否符合該職位所需的資格。學生要應用這些思考工具，描述美國總統的工作範疇，並自己表列出勝任某一職位所應具備的特質。

### 課程目標

本課結束時，學生應該能夠做到下列事項：

1. 辨別某權威職位的一些責任，以及能妥善履行該職務所需的特質。
2. 為「思考工具」和「標準」下定義，它們是用來評估某人是否符合某權威職位所需的資格。
3. 檢視美國總統的職責、職權、特權和限制，並列出一張清單，寫下可以勝任總統工作的特質。

### 課前準備／教材範圍

學生課本第 28-33 頁。

第 34 頁的表格影本。

## 教學程序

### 一、本課介紹

在黑板上呈現「關鍵詞彙」，同時請全班閱讀課本第 28 頁的本課目標。

### 二、閱讀與討論

#### 好的領袖要具備哪些條件？

在黑板上呈現「責任」（responsibilities）與「特質」（characteristics）。請學生閱讀課本第 28 至 29 頁「好領袖具備哪些條件？」的文選〈蘇珊·安東尼〉，內容描述有關美國婦女投票權運動協會會長的責任，以及蘇珊·安東尼擁有哪些特質而使她成為 1890 年代成功的女權運動領袖。

讓全班閱讀文選，然後請學生回答課本第 30 頁「你的看法如何？」的問題，先回答：「在婦女選舉權運動中，擔任權威職位者的責任是什麼？」，其餘的學生接著回答：「安東尼的哪些特質，讓她成為一個成功的領導者？」

請學生指出該職位的責任，並且將他們的回應記錄在黑板上，然後要求學生將每一項責任與安東尼的特質進行對照，思考安東尼如何能成為一位成功的領導者。詢問學生，為什麼檢視伴隨權威職位而來的責任，以及該職務可能人選的人格特質是非常重要的事情？為什麼一個特定權威職位的人選是否合乎資格是非常重要的事情？為什麼我們必須謹慎挑選擔任權威職位的人？

讓學生看第 29 頁的圖，並回答圖片下方的問題：「成功的社區改造領導人或倡導者應該具備哪些條件？」

## 三、閱讀與討論

### 如何選擇權威職位的適任者？

本課在這部分介紹用來評定某人是否勝任某個權威職位的思考工具。向全班說明思考工具的目標和使用方式。教師可參見本手冊第 7-8 頁「運用思考工具分析問題」。用來挑選權威職位人選的思考工具是：

1. 此職位的職責、職權、特權和限制是什麼？
2. 一個人應該具備什麼資格才能勝任此權威職位？
3. 每位候選人分別具有哪些優點和缺點？
4. 根據前三項的答案，哪位候選人最適合此職位？為什麼？

請學生閱讀課本第 30 頁「如何選擇權威職位的適任者？」，和學生一起複習每一項思考工具，並確認學生的理解程度。

## 四、批判思考練習

### 評估一位稱職的總統所應具備的特質

將全班分為五人一組，進行課本第 31 至 32 頁的批判思考練習：「評估一位稱職的總統所應具備的特質」。先和全班一起閱讀練習活動的說明，讓每一組有充分時間去完成練習，並請各組向全班分享討論成果。學生必須完成一份類似第 34 頁的圖表，或是由老師印發表格給學生。讓學生運用思考工具，審視美國憲法第 2 條所規定的總統職權、職責與限制。

## 五、課程總結

請和全班討論，思考工具對於學生在學校及社區扮演盡責的公民，有什麼幫助？比方說，這些思考工具對於他們選出學生會長有何幫助？這些思考工具對選民在下一屆市長選舉中，有何幫助？

讓學生看課本第 31 頁的圖，並回答圖片下方的問題：「某一項權威職位的職責、職權、特權和限制，如何幫助你判斷能勝任此職位者的特質？」

請學生回顧課本第 28 頁的本課目標，並自我評量達成多少。

### 課後練習

課本第 33 頁的「學以致用」，可以讓學生對於挑選合適的人擔任權威職位之相關知識，獲得進一步的拓展。結束這些活動後，鼓勵學生運用思考工具選擇當權者。請學生向全班分享他們的心得。

## 第五課：你會選誰擔任這個職位？

### 課程概述

在本課，學生要運用思考工具分析一項權威職位，並運用這些工具評估及決定哪一位候選人最適合擔任該項公職。讓學生在本課程進行角色扮演，召開一個記者會，幫助中央市市民決定哪一位候選人最適合在州議會中代表他們社區。

### 課程目標

本課結束時，學生應該能夠：

1. 運用思考工具來判定哪一位候選人最適合擔任此項權威職位。
2. 說明選擇某人擔任權威職位的各項考量。
3. 說明思考工具對於選擇擔任權威職位的候選人有哪些功用。

### 課前準備／教材範圍

學生課本第 36-43 頁。

選擇性教材：為角色扮演活動中的五個角色製作名牌，並準備列有四位州議員候選人名字的選票。

### 教學程序

#### 一、本課介紹

在黑板上呈現關鍵詞彙，同時請全班閱讀課本第 36 頁的本課目標。

## 二、批判思考練習

### 支持某位公職候選人

在本課中，學生將扮演編輯委員會，在該委員會中，記者及編輯們將對州議員候選人進行審查。請在黑板上呈現下列參與編輯委員會的角色：

- 中央市日報編輯委員會
- 拉烏‧賈西亞
- 珍妮佛‧布朗
- 派翠西亞‧張
- 威廉‧比爾‧梅爾斯

讓全班閱讀課本第 36-37 頁的「支持某位公職候選人」，複習準備角色扮演活動的程序。與全班討論「中央市」這一篇短文，請學生指出中央市所面臨的經濟、社會和教育議題。將學生的答案記錄在黑板上。

請學生指出州議員的責任、職權、特權和限制。學生可以參考課本第 38-39 頁。將學生的答案記錄在黑板上，然後請全班製表，列出勝任州議員的人選的資格條件，再將學生的答案呈現在黑板上。

將學生分為五組，分別代表五個角色。閱讀課本第 40 頁的「執行編輯委員會推薦審查指導守則」（Instructions for Conducting the Editorial Board Endorsement Interviews）。請編輯委員會小組閱讀他們角色扮演的指導守則，也讓候選人小組閱讀課本第 40-41 頁關於他們的角色的指導守則，以及候選人的檔案。審視學生是否了解他們扮演的角色所擔負的責任。在進行審查前，讓學生有適當的時間準備他們的角色。

**開始進行推薦審查**

注意候選人對於不同議題採取的立場並非本課程的目的。本課程重點在於學生能否善用思考工具來選擇權威職位的人選。審查結束後，進行州議員的模擬選舉。與學生一起閱讀課本第 43 頁「你支持哪一位候選人？」的問題。教師可以事先製作準備州議員的選票。

### 三、課程總結

清點模擬選舉的選票並宣布投票結果。與學生討論，他們是否認為選出了最恰當的人選。為什麼是？或為什麼不是？

讓學生看課本第 40 頁的圖，並回答圖片下方的問題：「電視轉播的候選人辯論和新聞媒體的提問，如何幫助我們評估權威職位候選人能否勝任？」。和全班一起討論思考工具是否對我們的選舉有所幫助。

第二單元到本課告一段落。請學生在筆記中摘要記錄他們學到哪些評估權威職位候選人的方法。

### 課後練習

「學以致用」的活動，可以讓學生對於選擇權威職位人選的之思考工具的相關知識更加強化或延伸。鼓勵學生運用思考工具來完成這些活動。可以讓學生個別進行或分組合作。

## 第三單元：如何評估規則與法律？

權威的課程進行到現在這個階段，學生已經學到權威的表現形式之一，就是我們必須遵守的規則與法律，包括家規和校規，以及地方、州和聯邦的法規。由於權威以規則和法律的形式，影響著我們生活的許多層面，所以很重要的是我們應該擁有足夠的知識和技能，對於規則和法律之相關事物，做出知情且明智的決定。本單元就是要幫助學生對規則和法律做出充分且合理的決定。

學生在本單元會學到評估規則、法律、法令或行政命令和法規的實用步驟。學生將學習分辨規則和法律，並評估制定這些規則和法律的目標。學生將判斷是否有其他方式比制定這些規則或法律更能達成該目標，或者推論該規則的實際或可能的成效。在決定是否保留、修訂或廢除該項規則或法律之前，學生應該分析它的優、缺點，判斷該項規則是否：

- **設計得當，可達成目標**

- **易懂**
- **讓人清楚明白該做什麼**
- **具有被遵行的可行性**
- **公平，而且**
- **對重要價值的侵害盡可能減到最少**

學生用來評估規則和法律的方式，也適用於制定新的規則和法律。讓學生辨別有些規則可以妥善解決某些問題，或是某些問題並沒有妥善的規則可以解決它們。然後請學生制定一項規則，檢視它的目標，並判斷是否有其他更好的方法可以更有效地達成那些目標。最後，請學生推論這個規則草案可能產生的結果，並根據設定的標準來辨別它的優、缺點。

## 介紹第三單元

讓學生看課本第 45 頁的圖，請學生指出圖片中有關哪些規則或法律？請學生回答圖片下方的問題：「如何評估規則與法律是好是壞？」。請學生閱讀課本第 45 頁的單元介紹，讓學生討論造成某一議題意見分歧的因素有哪些？請學生列出希望在第三單元學習到的三件事物，或寫下他們希望在學習本課之後獲得解答的三個問題。

## 第六課：評估規則的好壞時，應考慮哪些因素？

### 課程概述

本課介紹評估規則和法律的思考工具。學生要檢視一些規則並指出每項規則的缺點，以幫助學生明瞭好規則的特質。然後學生將運用思考工具來評估汽車音響擴音器的法律，並判定應該予以保留或修改。

### 課程目標

本課結束時，學生應該能夠：

1. 辨別用來制定和評估規則與法律的標準或思考工具。

2. 說明設計得當的規則或法律的特質。
3. 運用思考工具評估某項法律，並提出改善該法律的建議方案。

## 課前準備／教材範圍

學生課本第 46-51 頁。
影印學生課本第 51 頁「評估規則和法律的思考工具表」。

## 教學程序

### 一、本課介紹

課程一開始，請向學生們宣布一項假設的新校規。把新校規呈現在黑板上，邀請學生對新校規的優點表達意見。新校規可以包括：

- 只有棕色眼珠的學生才能參加足球隊。
- 如果學生在校內或其他地方販賣或使用毒品，校長可以勒令學生休學或退學。

請學生製作一張清單，將一個好規則所應具有的特質都列出來。將學生的答案記錄在黑板上。

請和全班一起討論，設計得當的規則或法律具有哪些因素，而為什麼思考這些問題非常重要。提醒學生，因為我們生活在參與式的民主體系之中，受到法律的規範，我們可以對某些既定規則表達支持或反對的意見，或是制定新的規則。因此，我們若要做出明智的判斷，必須明瞭制定一項好規則的因素是哪些。

在黑板上呈現關鍵詞彙，同時請全班閱讀課本第 46 頁的課程目標。

### 二、閱讀與討論

如何訂立周延的規則

讓學生閱讀課本第 46 頁的「如何訂立周延的規則」。這部分練習結束時，與全班討論下列兩項問題：

- 如果規則設計不周延，可能會產生什麼結果？
- 你會採用什麼標準來評估規則？

## 三、批判思考練習

### 找出規則的錯誤

讓學生個別完成，或和一位同學一起完成課本第47頁的批判思考練習：「找出規則的錯誤」。與全班一起閱讀批判思考練習的指導說明。可以與學生一起分析第一條規則，並幫助學生學習如何運用思考工具來評估規則。鼓勵學生在練習中使用思考工具來評估每一項規則。練習結束時，讓學生向班上分享學習心得。下列的圖表中，包括某些學生可能發表的心得。可以在黑板上畫下類似的圖表，記錄學生的心得。

| 規則的序號 | 問題 | 好的規則應該是…… |
|---|---|---|
| 1 | 沒有上大學的人不能投票，是一項不公平、帶有歧視的規定。 | 公平。比方說，不能歧視。 |
| 2 | 規則讓人搞不懂；對於人們被禁止或被要求做的事項描述得並不清楚。 | 對於規則所預期的目標或對人們的要求，應該清楚而易懂。 |
| 3 | 規則的預期目標無法讓人達成，像是這項規則非但不能讓人們健身，反而讓人無法投票。有些學生或許會指出，這項規則歧視145英鎊以上的人。 | 設計應該更加周詳，應能更有效地達到規則所預期的目標。 |
| 4 | 規則並不清楚。「太多」這個詞，沒有明確定義。 | 應該清楚而且容易理解。 |
| 5 | 這項規則侵擾了一項重要的價值：隱私權。 | 若非必要，應該不能侵擾到其他價值，像是隱私或自由。 |
| 6 | 規則不可能被遵守。 | 有遵守的可能性。 |

可以讓學生抄下「好的規則應該是……」這一欄的答案，做為日後的參考。

## 四、閱讀與討論

### 如何評估規則？

讓學生閱讀課本第 48 頁的「如何評估規則？」。如果還沒有和學生討論「思考工具」，可以在這時候提出討論。關於思考工具的詳細說明，可以參考本手冊第 7-8 頁。

與學生一起閱讀評估規則的思考工具，確認學生理解了多少。在閱讀時，強調一項設計得當的規則的特質，學生課本第 48 頁及第 51 頁中有列出這些特質。

## 五、批判思考練習

### 評估法律

將學生分為五人一組，完成課本第 48-49 頁的批判思考練習「評估法律」。文選「汽車音響擴音器法」描述州法規定，如果汽車音響在 15 公尺外能被聽到的話，駕駛將被開立罰單。違規者初犯時，處以美金 50 元的罰款，再犯則要提高罰款。讓學生閱讀圖片下方的問題：「你如何評估規範汽車音響的法律是否設計得當？」

發給學生一張課本第 51 頁的「評估規則和法律的思考工具」。讓學生有充分時間回答，並請各小組向全班分享他們的答案。

## 六、課程總結

請和全班一起討論思考工具表當中的第六點：「這項規則應該維持不變，還是需要改變，或者必須廢除？為什麼？」鼓勵學生使用思考工具來評估規則，並修正他們對於議題的見解。

請學生回顧課本第 46 頁的本課目標。要求學生自我評量達到多少。

### 課後練習

課本第 50 頁「學以致用」，可以讓學生更進一步地運用好規則的特質和思考工具。可以讓學生個別或分組完成這些活動。請學生在課堂上向全班分享他們的心得。

## 第七課：如何制定法律？

### 課程概述

讓學生運用思考工具評估規則與法律，模擬美國參議院的法案辯論會（legislative debate）。學生將檢視一項提案 —— 聯邦瀕臨絕種動物保護法，學生還要提出修正案或替代法案，並辯論各個不同提案的優、缺點。

### 課程目標

本課結束時，學生應該能夠：

1. 運用思考工具評估被提議的法案。
2. 發展出一項簡化的立法提案，並運用思考工具評估該項提案。
3. 說明對於某提案支持與否的考量因素。
4. 說明在評估與決定提案時，運用思考工具的功用。

### 課前準備／教材範圍

學生課本第 52-56 頁。

選擇性活動：你可以邀請一位社區資源人士，如州議員或市議員到班上參與教學。

### 教學程序

#### 一、本課介紹

本課一開始，請學生舉出他們知道或讀過的環境保護法規。為什麼制定其中那些法律呢？是否有其他方式可以解決同樣的問題？這些法律是好的公共政策、能保護空氣、水資源、野生動物？還是這些法律並不公允，限制了某些民眾的資產權？

請在黑板上呈現關鍵詞彙，同時讓全班閱讀課本第 52 頁的本課目標。

## 二、批判思考練習

### 創制法律並爲其辯護

將學生分組，完成課本第 52 頁的批判思考練習「創制法律並為其辯護」。在活動之前，先讓學生看第 53 頁的圖片說明：「如何判斷一項保護如斑點貓頭鷹等瀕臨絕種生物的法律是好的法律？」，然後讓學生有足夠時間，條列他們的想法。

在這個批判思考練習中，全班將參與一場模擬的法案辯論，要對一項保護瀕臨絕種動植物的立法提案加以評估、採取立場和辯護。先將學生分為三組：第一組是認為聯邦政府負有主要責任的參議員；第二組是認為聯邦政府責任有限的參議員；第三組是贊成妥協的參議員。

與全班一起閱讀這項立法提案，將它的主要條款呈現在黑板上。然後與全班一起閱讀各組參議員的介紹內容，讓學生有足夠時間運用思考工具去評估提案。學生評估完畢後，他們代表的州議員小組可以提出修正案，或提出截然不同的另一項提案。學生應該參考課本第 55 頁「草擬法案」。讓各組有充分時間完成模擬辯論會的準備工作。可以邀請議員到班上參與教學，他／她可以協助學生進行答辯。

與學生一起閱讀課本第 55 頁的「參議院辯論會的程序」。關於辯論會更詳細的程序，可以參考本手冊第 21-23 頁關於「立法辯論會」的介紹。指派一位學生擔任參議院議長主持辯論會，或可以請受邀的議員來賓擔任這個角色。各組應該簡報他們對於提案所持的立場，可能的話，可以提出他們擬定的修正案或替代案。

## 三、課程總結

辯論會結束後，對修正案及提案本身進行投票。與全班討論各組所提論點的影響力，評估被支持的論點和建議的優、缺點。請學生評估他們剛經歷過的程序，並評估他們通過和沒通過的法案分別可能帶來的結果。可以邀請來賓一起參與討論。

本課是第三單元的課程總結。讓學生在筆記中摘要他們對於評估及制定法律的學習心得。

### 課後練習

課本第 56 頁「學以致用」所建議的活動，可以讓學生對於運用好規則的特質和使用思考工具評估規則的相關知識，獲得更進一步的強化或延伸。可以讓學生個別或分組完成這些活動。請學生向全班分享他們的心得。

## 第四單元：行使權威的益處與代價？

在本單元學生將學到權威行使通常會同時牽涉益處與代價，學生也會更理解一些常見的權威之益處與代價。課程進行方式是學生要分析某特定情境中，權威行使所帶來的益處與代價。這項分析能力，在之後進入第五單元 —— 決定一項規則、法律或權威職位的權限範圍時，會是很重要的技能。

學生要學習辨別特定情境中，行使權威可能造成哪些實際的或可能的結果，將這些結果分類為益處或代價。對於益處與代價的重要性評估，通常看法是不同的，學生必須學習考量這些不同意見。

### 介紹第四單元

讓學生看課本第 59 頁的圖片，回答圖片下方的問題：「政府決定執行權威 —— 把軍隊派駐其他國家以維持世界和平，如此會帶來哪些結果？哪些是益處？哪些是代價？」

對全班說明每一位當權者（authoritative role）、每一條制度規定、法律、習俗或傳統，以及每一次權威的行使，都會對個人、團體或社會帶來益處和代價。辨別在一般狀況或特殊狀況下行使權威所造成的益處和代價，對於決定權威範圍和限制是很重要的事。學生將在第五單元學習關於權威範圍和限制的問題。

權威造成的益處和代價，有些固有於其概念本質的（Some benefits and costs of authority are inherent in the concept itself）。例如：任何權威的行使都難免限制個人自由；矛盾的是，權威對於維持自由的存續是必要的。

其他權威造成的益處和代價則隨著人類經驗而越見明顯（Other benefits and costs of authority have become evident through human experience）。例如：權威可以提供安全感，但接受權威的我們必須保持警覺，因為它可能會被誤用。

讓學生閱讀課本第 60 頁「本課目標」。請學生列出希望從第四單元所學到的三件事情，或是請他們列出期望透過本單元的學習而獲得解答的三個問題。

## 第八課：權威會造成哪些結果？

### 課程概述

學生要學習辨別運用權威所造成的結果。從分析假設情境、指出行使權威可能產生的結果，並分類哪些結果是益處或代價，接著學習哪些是社會中最常見的權威益處與代價。最後，由全班以角色扮演的方式模擬州議會的聽證會，對於禁止販賣和擁有攻擊性自動武器的法案進行聽證。

### 課程目標

本課結束時，學生應該能夠：

1. 辨別在特殊狀況下行使權威可能造成的結果。
2. 將結果區分為益處、代價兩類。
3. 運用益處和代價的概念，評估與權威相關的議題並採取立場。

## 課前準備／教材範圍

學生課本第 60-64 頁。

可彈性選擇的方式：邀請社區資源人士參與全班的角色扮演活動，像是律師、州議員或市議會成員。

## 教學程序

### 一、本課介紹

在黑板上呈現關鍵詞彙，同時請全班閱讀課本第 60 頁的「本課目標」。

### 二、閱讀與討論

#### 權威的益處和代價？

讓學生閱讀課本第 60 頁的「權威的益處與代價」，要求學生認識州議會通過的一項法案，該法案旨在降低青少年駕駛車禍數量。全班討論課本的第一個問題：「這項法律可能會產生哪些結果？」，老師把學生的答案記錄在黑板上，並確認必須包括正向的與負向的答案。

接下來，讓學生回答第二個問題：「這些結果中，哪些可能是益處？哪些可能是代價？」老師可以在黑板上畫兩個欄位，一欄記錄益處，一欄記錄代價，或是簡單標記上 B（益處）或 C（代價）在已經出現在黑板上的那些答案後面。

最後，請學生回答第三個問題：「你認為與這項法律相關的人們：青少年、家長、警察和州議員，他們對於這些相關的益處與代價，有何想法？」在討論期間要讓學生了解，不同的人們對於這個情境所牽涉的益處與代價的重要性，都會有不同的意見。

## 三、批判思考練習

### 判斷結果是益處或代價

請學生以一組五人為單位，閱讀「批判思考練習」的指導事項，以及課本第 61 頁的「你的看法如何？」的問題，讓學生有充分時間完成這些事情。

請各小組與全班分享答案。以下列舉學生可能會提出的答案：

這樣的法律可能造成哪些結果？

■ **情境一：**法律規定 18 歲以下民眾須遵守晚上十點半宵禁。

(1) 18 歲以下民眾於晚間十點半後不得在街上逗留→代價
(2) 由於青少年不得在街上逗留，青少年犯罪率可能會降低→益處
(3) 如果青少年犯罪率降低，民眾會有安全感→益處
(4) 電影院等場所的生意將大受影響，因為宵禁時間過後青少年就不能出門→代價
(5) 學校將無法安排夜間活動，例如舞會或球賽，因為它們結束時間通常超過了宵禁時間→代價
(6) 執行宵禁的巡邏等工作，可能會增加執法單位的財政負擔→代價

■ **情境二：**新法提高工廠廢棄物的管制標準。

(1) 環境污染可能變少→益處
(2) 如果污染變少，自然資源就能保存得更好→益處
(3) 有些人可能未遵守新污染管制標準而受罰→代價
(4) 有些公司支付費用更換既有生產系統，以符合新管制標準→代價
(5) 一些公司獲利的自由度將受到限制→代價

■ **情境三：**新法規定印製、販賣描寫暴力行為的出版物為違法行為。

(1) 民眾失去印製、販賣或閱讀這類出版物的自由→代價
(2) 法律如果沒有明確說明哪些種類的故事和圖片不能印製或販賣，可能會賦予執法者過多權力→代價
(3) 犯罪行動可能減少，因為暴力故事無法出版→益處

（4）出版這類出版物的民眾將減少收入→代價

問學生上述各項法律中，哪些人會是受到影響？不同情境中，不同想法的人會如何感受這些益處和代價？接著，請老師再一次協助學生用不一樣的觀點理解權威帶來的益處和代價。提醒學生，民眾可能同意在個別情境中行使權威帶來的益處和代價，但並不一定會同意這些益處和代價是最重要的。

## 四、閱讀與討論

### 常見的權威益處和代價

學生閱讀課本第 61-63 頁「常見的權威益處和代價」。閱畢，將益處寫在黑板上：安全、公平、自由、效率、生活品質、容易評估、提供基本服務。也將代價寫在黑板上：濫用權力、必須有所監控、缺乏彈性並抵制改變（inflexibility and resistance to change）、難以辨識或接近（inaccessibility）、自由受限、經濟成本。請學生辨別這些概念，並從閱讀或生活經驗中舉例說明。

讓學生翻閱課本第 62 頁及第 63 頁的兩張圖，並回答兩張圖下面的問題：「行使權威保護環境的益處有哪些？」、「1963 年華勒斯州長行使權威，阻止阿拉巴馬大學廢除種族隔離，可能產生什麼代價？」（1954 最高法院判決種族隔離違憲）。

## 五、閱讀與討論

### 最重要的益處與代價是什麼？

學生閱讀課本第 63 頁的「最重要的益處與代價是什麼？」。這部分練習旨在提醒學生注意，民眾可能同意在個別情境中行使權威帶來的益處和代價，但並不一定會同意這些益處和代價是最重要的。

## 六、批判思考練習

### 採取立場

課本第 64 頁「採取立場」的練習，由全班以角色扮演的方式模擬州議會的聽證會，對於禁止販賣和擁有攻擊性自動武器的法案進行聽證。將以下五個角色呈現在黑板上：

- 安全社區委員會（Safe Community）
- 槍枝擁有人協會（Main Town Gun Owners Association）
- 警察局
- 老鷹武器工廠
- 和平主義者協會（Association of Principled Pacifists）

學生閱讀本練習的相關資訊，將上述五種角色呈現在黑板上，並指派學生扮演上述五種角色，說明進行模擬州議會聽證會應該準備哪些事項。關於舉行聽證會的指導事項，請參考本手冊第 19-21 頁關於「立法聽證會」（Legislative Hearing）的介紹。老師必須確認學生了解參與角色扮演活動的步驟。

讓學生有充分時間分析這項法案可能造成的結果，以及準備所扮演的角色對於此議題的意見。如果有邀請到社區資源人士到課堂，請他／她協助學生準備他／她們的角色。模擬聽證會進行時，可以請社區資源人士參與立法委員會的組別。

## 七、課程總結

模擬聽證會結束後，讓黑板上提到的成員們有時間針對是否通過立法做出決議。由主席宣布決議、說明理由。如果有任何委員會裡的成員不同意多數決議，請給予說明不同意的原因。再請學生閱讀課本第 64 頁「你的看法如何？」，並進行討論。如果你邀請社區資源人士到課堂上，請他／她參與最後的討論，說明這次模擬聽證會有多接近真實的情況。

最後，請學生再一次回顧課本第 60 頁的「本課目標」，並自我評量達成多少。

### 課後練習

課本第 64 頁「學以致用」的活動，讓學生更進一步運用辨別行使權威的結果，將之分類為益處或代價。讓學生個別或分小組完成，再與全班分享彼此的作業。

## 第九課：如何評估權威的益處與代價？

### 課程概述

本課提供學生另一個機會去辨別權威造成的結果，並且把結果區分為益處或代價。全班將進行角色扮演，模擬上訴法庭的審訊。針對一件刑事案例 —— 法官命令擾亂法庭秩序的被告離開法庭，後來在被告辯護案情時，命人將他綁住並封住嘴巴，學生要判斷法官這種做法是否合理正當。

### 課程目標

1. 應用益處與代價的概念去評估法庭中的權威議題。
2. 運用益處與代價的概念，對權威議題的解決方法採取立場，並為自己的立場辯護。
3. 說明在對權威做決策時，考量益處與代價會有什麼功用。

### 課前準備／教材範圍

學生課本第 66-70 頁。

選擇性方式：邀請社區資源人士，像是律師或法官，參與本課活動。

### 教學程序

#### 一、本課介紹

在黑板上呈現關鍵詞彙，同時請全班閱讀課本第 66 頁的「本課目標」。

讓學生閱讀課本第 67-68 頁圖片下方的問題：「法官下令將不守規定的被告驅離法庭的後果是什麼？這些後果哪些益處？哪些是代價？」及「法官下令將不守規定的被告綁住，並封住他的嘴巴，此舉的益處與代價是什麼？」。讓學生有足夠的時間去條列自己的想法，為批判思考練習做好準備。

## 二、批判思考練習

### 評估權威的益處與代價

請學生閱讀課本第 66 頁的批判思考練習「評估權威的益處與代價」，這篇取材自美國最高法院「伊利諾州訴亞倫案（1970 年）」（Illinois v. Allen）。在這起持槍搶案的審理過程中，亞倫粗暴的言行嚴重影響了法庭秩序。亞倫無視於法官的反覆警告，因此法官在檢方質詢時下令將亞倫驅離法庭。後來，亞倫被綁住並封住嘴巴後，才被允許於被告辯護時再進入法庭。最後，亞倫不服判決，提起上訴，主張法官剝奪他出庭以及為己辯護的權利。

全班閱讀完畢後，請學生列舉本案的一些重點。把學生的答案記錄在黑板上。接著，請學生與小組同學一起回答課本第 68 頁「你的看法如何？」的問題。請學生與全班分享他們的心得。學生的答案可能包括下列內容：

在本案中，法官行使權威造成什麼樣的結果？

(1) 在本案進行期間，有時候被告不被允許為自己辯護→代價。
(2) 被告希望能擔任自己的辯護人，但不被允許→代價。
(3) 本案進行期間，被告曾被銬上手銬腳鐐，可能影響陪審團對他的看法→代價。
(4) 審判進行時能維持秩序→益處。
(5) 法官採取的行動可能可以做為示範，以懲罰那些干擾法庭程序的人→益處。
(6) 法官採取的行動獲得認可，可以鞏固法庭的權威。其他法官可以利用類似方法處理干擾法庭程序的問題→益處。

讓學生舉行一場模擬法庭審訊。將全班分為三組，扮演法官、伊利諾州檢察官和亞倫的律師。與全班一起閱讀課本第 69 頁的「準備進行審訊」及「上訴審訊的程序」。讓學生有充分時間準備。

各組準備完畢後，把學生分為三人小組，每一組包括法官、伊利諾州檢察官和亞倫的律師各一人。根據班級大小，最多讓十至十二組發表他們的論點。關於如何舉行模擬審訊的相關資訊，請參考本手冊第 23-25 頁關於「簡易法庭」（Pro Se Court）的介紹。如果你邀請社區資源人士到課堂上，請其協助各組準備他們的論點。社區資源人士也應該旁聽並參與結束時的討論。

### 三、課程總結

全班一起討論各小組的決定。首先請法官們宣布他們的決定及其理由。請法官說明本案兩造所提出的最強的論點。請全班預測各組法官的決定可能會帶來什麼後果。老師或邀請的來賓可以與學生分享最高法院對本案的判決（詳見「教師參考資料」）。

與全班討論，分析行使權威所帶來的益處與代價，對於說明案情與達成判決時有何用處。

請學生回顧課本第 66 頁的「本課目標」，並自我評量達成多少。

本課是第四單元的總結。讓學生在筆記中摘要他們學到關於行使權威的益處與代價的心得。

## 課後練習

課本第 70 頁「學以致用」的活動，可以讓學生習得知識，獲得強化或延伸，包括辨別權威的結果，以及區分結果是益處或代價。可以讓學生個別或分組完成這些活動。請學生向全班分享他們的心得。

## 教師參考資料

### 伊利諾州訴亞倫案（1970）

在審判結束後，亞倫對美國最高法院提出申請人身保護令。亞倫宣稱伊利諾州法庭剝奪他擁有公平審判的權力（憲法增修條文第 6 條與第 14 條），因為他被迫離開法庭。亞倫辯稱，被告有出席審判的絕對權利，不管他做了什麼，他都不應該被剝奪這項權利。

結果最高法院法官以 8 比 0，全數反對亞倫的上訴。最高法院裁決，被告如果干擾法庭程序，將被剝奪這項權利。最高法院布雷克法官寫道：

在執行司法審判時，適當行使美國法庭程序的規範：尊嚴、秩序和禮儀，是非常重要的事。我們不容許有人在法庭公然藐視基本的行為準則。我們認為法官在面對違抗法庭命令的、固執的、挑釁的被告時，應該視各個案件的狀況而被賦予充分的自主權。如何維持恰當的法庭氣氛，並沒有一個公式可以放之皆準。但我們認為根據憲法，至少有三種方法可以對付像亞倫這樣大鬧法庭的被告：1. 綁住他並封住嘴巴，讓他這樣留在庭上；2. 控告被告藐視法庭；3. 將被告帶離法庭，直到被告承諾收斂不當行為。

## 第五單元：權威的範圍與限制？

本單元主題聚焦於權威課程最重要的面向。本單元會介紹用來評估既有權威職位的思考工具，以及創設新的權威職位的思考工具。

### ➡ 介紹第五單元

說明第五單元的主題聚焦於權威課程最重要的面向。如果行使權威能達到第一、第二單和第三單元所說的功能，也能獲致第四單元討論的益處，那麼這個職位在行使權威時，一定擁有充分的權力和資源。另一方面，如果要避免或者盡量減少第四單元所提及的權威之負面後果（代價），就必須對權威定下清楚的限制，並且建立執行這些限制的機制。

本單元幫助學生學習判斷權威的範圍和限制。這裡所謂的範圍（scope）和限制（limits），是指對一個特定的當權者（例如：執法官員、法官、國會議員）或當權機構（例如：警察局、司法單位、國會）而設計的職責（duties）、職權（power）、特權（privileges）和限制（limits）。學生將學習如何評估個別的當權者和當權機構，並學習如何設計或創制新的職位和機構。

讓學生看課本第 71 頁的圖，並回答圖片下方的問題：「總統的權威範圍和限制是什麼（像是美國總統杜魯門）？三軍總司令的權威範圍和限制又是什麼（像是麥克阿瑟將軍）？」。在學生發表前，可以先提供杜魯門和麥克阿瑟的相關資訊。

讓學生閱讀課本第 72 頁的本課目標。請學生列出希望從本單元學習的三件事，以及他們希望本單元結束時能獲得解答的三個問題。

## 第十課：權威職位設計得當的條件？

### 課程概述

學生將檢視幾個假設的權威職位，辨別這些職位在設計上的缺失。根據這些缺點，學生將發展出一份有效的考量清單，對於設計一個適當的權威職位，將會有很大的幫助。本課會介紹一套實用的思考工具，用來評估和改善權威職位及權威機構。

### 課程目標

本課結束時，學生應該能夠：

1. 說明為什麼評估權威職位很重要。
2. 辨別一些權威職位在設計上的缺點。
3. 辨別思考工具在評估權威職位及機構的權限範圍時，有哪些功用。

### 課前準備／教材範圍

學生課本第 72-75 頁。

### 教學程序

#### 一、本課介紹

請學生辨別一些位處權威職位的人，以哪些方式影響著我們的生活。

在討論時，鼓勵學生思考家長、學校乃至於政府官員的權威。詢問學生為什麼能夠評估權威職位是很重要的事情。在黑板上呈現關鍵詞彙的同時，請全班閱讀課本第 72 頁的本課目標。

## 二、閱讀與討論

### 權威職位設計得當的條件是什麼？

請學生閱讀課本第 72 頁的「權威職位設計得當的條件是什麼？」，並請學生回答本節最後的兩個問題。讓學生在討論之中理解，要維持社會的自由，我們必須學會如何評估權威職位和機構是怎樣設計出來的。雖然，當權者應該被賦予足夠的權力來執行他們的任務，但我們必須對他們的權力加諸有效的限制，以維護我們的權利。生活在憲政體制中，民眾有權對地方、州和聯邦政府的許多權威職位的設立和修正提出意見。民眾行使這項權利是很重要的，因為當權者對我們的日常生活有很大的影響力。若不注意這些職位的設計和當權者履行職責的方式，就可能導致或大或小的不良後果，包括喪失基本自由，以及其他重要的立國原則和價值。

## 三、批判思考練習

### 評估權威職位的錯誤

請學生完成課本第 73-74 頁的批判思考練習「評估權威職位的錯誤」。讓學生注意圖片下方的問題：「你認為康福雋這個州的州長，擁有的權威太多還是太少？」。這裡的每一種情境，其權威職位的設計都包含一個或以上的缺點。請和全班一起閱讀練習活動的說明，以及課本第 76 頁「你的看法如何？」的問題。練習結束時，請學生向全班分享他們的答案。在黑板上記錄學生對各種情況的看法，學生的答案可能包括以下內容：

| 權威職位 | 職位的缺點 |
|---|---|
| 1. 康福雋州的州長 | 州長的責任太重，一人無法勝任。 |
| 2. 佩倍圖州的民意代表 | 由於無法開除民意代表，所以民意代表不一定會為他們的所做所為負責。 |
| 3. 大廳的監視員 | 大廳的監視員被賦予過多權力。 |
| 4. 阿果羅佛畢亞市的市長 | 民眾無法對市長反映他們的意見。 |
| 5. 交通警察 | 交通警察得不到執行工作所需的資源。 |
| 6. 宗教大法官（the Grand Inquisitor） | 行使職權時，沒有提供公平且人道的程序。 |

在黑板上呈現「設計得當的權威職位應該……」，然後帶領學生看黑板上所記錄的各項職位缺點。詢問學生那些缺點分別反映出設計得當的職位應該如何。將學生的答案記錄在黑板上，學生的答案可能包括以下內容：

設計得當的權威職位應該……

- 要負擔的職責不能過重
- 能夠被充分的評估
- 被賦予適當的權力
- 可以接納大眾的意見
- 有工作所需的充足資源
- 在行使權威時有公平而人道的程序
- 有定期的審查

請學生根據自己的知識和經驗，舉出更多對設計得當的權威職位的看法。學生的答案可能包括：

- 權力必須有清楚的限制
- 不會不必要的侵擾重要的價值，例如：人性尊嚴、言論自由、隱私權等。
- 可以根據狀況改變而彈性調整

對全班說明，可以運用這些考量事項，去評估權威職位的設計。請學生在筆記上抄下來，以後可以參考利用。

#### 四、閱讀與討論

**如何決定權威的範圍和限制？**

請學生閱讀「如何決定權威的範圍和限制？」在這個閱讀中，包含評估權威職位的標準或思考工具。讓學生理解，權威職位如果設計得當，能讓當權者擁有足夠的權力執行任務，同時，當權者的權力也有清楚的限制。

#### 五、課程總結

閱讀評估權威職位的思考工具。對學生說明，他們將應用這些思考工具對下一課的權威職位進行評估和判斷。

### 課後練習

課本第 75 頁「學以致用」的活動，可以讓學生已經學會的評估權威職位之知識，獲得更進一步的強化或延伸。鼓勵學生運用所學到的評估標準來完成這些練習。可以讓學生個別或分組完成這些活動。請學生向全班分享他們的心得。

## 第十一課：如何評估權威職位？

### 課程概述

學生要使用思考工具來評估權威職位的設計。本課的選文來自理察•亨利•達納的《兩年船桅生活》，描寫船長管理船員所引發的問題。全班將檢視船長的職責、職權、特權和限制，然後角色扮演，模擬海軍評鑑委員會，要判斷船長的職位設計是否應該維持原狀，還是改進或者廢除。

## 課程目標

本課結束時，學生應該能夠：

1. 應用思考工具評估文選中的權威職位。
2. 對於職位應有的權威範圍和限制，採取立場，並加以捍衛。
3. 說明在設計權威職位時，為什麼將可能違反人民基本權利、價值和原則的機會減到最小，是非常重要的事情。
4. 說明用來評估權限範圍的思考工具有什麼功用。

## 課前準備／教材範圍

學生課本第 76-81 頁。

為每位學生影印課本第 82 頁的「評估權威職位的思考工具」。

## 教學程序

### 一、本課介紹

請學生閱讀課本第 76 頁的「本課目標」。說明在本課中，學生將使用思考工具去評估一位船長的職責、職權、特權和限制，並將舉行海軍評鑑委員會的模擬聽證會，以提出改進船長職位的建議。

### 二、批判思考練習

#### 評估權威職位

將全班分為三至五人的小組，閱讀並應用思考工具完成課本第 76-81 頁的批判思考練習「評估權威職位」。本課的文選〈海上鞭刑〉，節錄自美國一名水手理察•亨利•達納的《兩年船桅生活》一書，內容描寫船長情緒失控，並將遷怒於船上船員所引發的事件。

讓學生閱讀第 78 頁圖片下方的問題：「如果你是海軍評鑑委員會成員，在決定船長職位是否必須改變之前，需要先參考哪些資訊？」

與學生一起閱讀練習活動的指導說明，以及思考工具表中的問題。確認每一位學生都有一份第 82 頁的「評估權威職位的思考工具表」。讓學生有充分時間評估權威職位，並提出改善這項職位的建議。學生可能提出的建議，請詳見本手冊第 83 頁的圖表。

**選擇性的指導練習**

舉行模擬海軍評鑑委員會的聽證會。讓一組學生扮演委員會成員，其他各組則扮演船長、山姆、約翰•斯威德、大副和敘述者（理察•亨利•達納）。讓各組有充分時間準備他們對委員會提出的說明論點。學生可以使用思考工具表來準備證詞。關於舉辦模擬聽證會的細節，請見本手冊第 19-21 頁（立法聽證會）的介紹。模擬聽證會完成時，請學生評估海軍評鑑委員會所做的裁決。

## 三、課程總結

各組完成以上作業後，請學生分享「評估權威職位的思考工具表」問題的答案。讓每一組選出一位代表，寫下該組對問題 7「你是否建議這項職位需要改進？」的建議。抽點各組的一位學生說明這項建議的益處與代價。與全班討論使用思考工具來檢視權威職位有何優點。

請學生回顧課本第 76 頁的「本課目標」，並自我評量達成多少。

## 課後練習

課本第 81 頁「學以致用」的活動，可以讓學生強化或延伸評估權威職位的知識。鼓勵學生使用本課學習到的標準來完成這些運用練習。可以讓學生個別或分組完成這些活動。請學生與全班分享他們的心得。

| 評估權威職位的思考工具 | |
|---|---|
| 問題 | 答案 |
| 1. 要評估的是什麼職位？ | 十九世紀中期的一位船長 |
| 2. 設立這個職位的目的是什麼？ | 在航程中管理船隻及船員 |

| | |
|---|---|
| 3. 這個職位是不可或缺的嗎？請說明理由。 | 學生應該思考船上是否需要一位船長，以及如果船上沒有船長可能會產生什麼結果。學生應該也要討論達到上述目標的其他方式。 |
| 4. 這項職位有哪些責任、職權、特權和限制？ | 參見課本第 78-79 頁的工作內容說明 |
| 5. 如此設計這個職位，可能產生什麼結果？ | ■ 船長管理嚴格，應該是為了確保船隻和貨物的安全，以及完成安全而成功的航行。<br>■ 船長應該要維持紀律及船員的安全。<br>■ 一些水手沒有公平申辯的機會就被處罰。<br>■ 有些水手遭受了過度而殘酷的懲罰。 |
| 6. 這項職位的設計是否有什麼缺陷？請考量：<br>■ 責任的輕重<br>■ 獲得的資源<br>■ 被賦予和被限縮的權力<br>■ 容易評估與否<br>■ 是否有方法預防權利遭到濫用<br>■ 是否注重公平程序及重要價值 | 船長肩負管理貨物安全、船員及船隻的責任。<br>■ 資源足以讓他執行自己的任務。<br>■ 船長被賦予過度的權力，例如船長權限規定得不清楚。<br>■ 無法確保船長對自己的行為負責，例如船上缺乏有效的方式來評鑑船長的行為，或糾正船長錯誤的行為。<br>■ 對船長缺乏公平的規定與限制，例如船長懲罰船員的權力，或船長執行殘酷的處罰時，並沒有適當的規定或限制。<br>■ 難以接近。例如水手缺乏反映他們的意見的管道，他們也無法參與船上政策的制定。<br>■ 干擾了重要的價值觀。例如船長專制的行為妨礙了水手自由言論或行動的權利，侵犯了水手的尊嚴。 |

| | |
|---|---|
| 7. 你是否建議這個職位需要改進？改變會帶來哪些益處與代價？ | 學生可以發表或說明自己意見。鼓勵學生說明他們選擇的替代方案可能帶來哪些正面及負面後果。他們可能建議的改變包括：<br>■ 將船長的權力加諸一些限制，包括禁止殘忍的懲罰，以及保護水手的權利等。<br>■ 制定系統化的規定，船長的行為可以被評鑑，並防止船長誤用權力。<br>■ 建立水手向船長表達意見的管道，以及評鑑船長行為的程序。 |
| 8. 你認為這個職位應該撤除、維持原狀，或是予以修正？請說明你的理由。 | 學生應該寫下他們的結論，並寫下一兩個句子說明自己的立場。 |

## 第十二課：戰爭期間權威的範圍與限制是什麼？

### 課程概述

學生將運用思考工具去評估兩個在戰爭期間行使總統行政命令之權威的案例，其一是林肯總統於南部聯邦聯軍在南卡羅萊納州引發內戰後採取的行動，其二是羅斯福總統命令日裔民眾集體遷離。本課主要活動是全班進行辯論，討論總統在戰爭期間是否可以踰越憲法所賦予的權限。

### 課程目標

本課結束時，學生應該能夠：

1. 運用思考工具評估政府權威於戰爭期間的範圍和限制。
2. 對於第二次世界大戰期間權威的範圍和限制，採取立場，並加以辯護。
3. 說明思考工具如何幫助自己評估權威的範圍和限制，並捍衛自己的立場。

## 課前準備／教材範圍

學生課本第 84-90 頁。

影印課本第 82 頁的「評估權威職位的思考工具」。

## 教學程序

### 一、本課介紹

在黑板上呈現關鍵詞彙，同時請全班閱讀課本第 84 頁的「本課目標」。

### 二、批判思考練習

#### 檢視戰爭時期權威的範圍和限制

讓全班閱讀課本第 85 頁的批判思考練習「檢視戰時權威的範圍與限制」。本練習包括兩篇文選，「林肯的兩難困境」描寫內戰爆發時，林肯總統踰越了憲法賦予他的職權，而徵召民兵、封鎖港口、購買軍備，以及暫停人身保護令。讓學生注意圖片下方的問題：「戰爭期間總統權威的適當限制是什麼？」

「日裔美國人的拘留」則描寫小羅斯福總統在第二次世界大戰之初下令日裔居民遷離自己的家園。讓學生注意課本第 87 頁圖片下方的問題：「第二次世界大戰期間，美國政府使用權威使日裔民眾遷入拘留營，造成哪些結果？」。將「評估權威職位的思考工具」發給每一位學生。閱讀練習活動的指導說明，以及第 88-89 頁「你的看法如何？」的問題。可以讓學生找一位同學一起完成這個練習，指定每一位學生負責一篇文選。讓學生有充分時間完成練習。

學生分析文選之後，請他們向全班分享答案。接著讓全班進行辯論，在黑板上公布主題為：

在戰爭期間，是否可以容許總統行使踰越憲法權限的權威？

將全班分為五組，正、反方各有兩組代表。首先由第一組發表正方論點，第二組發表反方論點，第三組發表反駁正方的論點，第四組發表反駁反方的論點。第五組是主席陪審團，除了主持辯論進行外，也要對發表者提問。關於辯論進行的進一步資訊，可參考本手冊第 32-34 頁。讓學生有充分時間準備他們的論點。

### 三、課程總結

辯論結束後，讓全班投票表決正方還是反方獲勝。詢問正方或反方的代表，他們認為對方最強的論點是什麼，最弱的論點又是什麼。與全班一起討論，國家危急之秋若允許政府官員踰越職權，對公民和國家可能會帶來什麼好處與壞處？為什麼知道當權者是否踰越他們的權限，是很重要的事？

### 課後練習

課本第 90 頁「學以致用」的活動，可以讓學生加強或擴展有關評估權威職位的學習。鼓勵學生使用本課學習到的標準來完成這些練習。可以讓學生個別或分組完成這些活動。請學生向全班分享他們的心得。

## 第十三課：如何設計權威職務？

### 課程概述

在本課，學生將運用前幾課學到的知識和技能來設計一個權威職位。以角色扮演的活動形式，學生將模擬一所虛擬學校的特別委員會，並為該校創設一個新的權威職位，以解決該校日益嚴重的偷竊和暴力問題。為了有效處理校園問題，學生所發表的提案，將呈現該職位的責任、權力、特權和限制。

### 課程目標

本課結束時，學生應該能夠：

1. 應用思考工具設計一個權威職位。
2. 評估職位提案的責任、權力、特權和限制的優、缺點。

3. 評估職位提案的效果、益處和代價。

## 課前準備／教材範圍

學生課本第 92-95 頁。

影印課本第 96 頁的「設計權威職位的思考工具表」。

圖表紙及簽字筆。

可彈性選擇的方式：邀請一位社區資源人士，像是大樓主委、地區行政人員或學校董事會成員，來參與本課教學。

## 教學程序

### 一、本課介紹

請學生看第 93 頁的圖，並回答圖片下方的問題：「如何設計一個權威職位，來解決學校暴力和違反校規的問題？」。對學生說明，在本課他們將有機會扮演塔夫高中的特別委員會，要設立一個權威職位去解決校內學生違反校規、打架事件增加，以及校園氣氛緊張等問題。

讓學生閱讀課本第 92 頁的「本課目標」。

### 二、批判思考練習

#### 設計權威職位

讓學生閱讀課本第 92 頁批判思考練習的「設計權威職位」。然後請學生閱讀「塔夫高中的問題」，它描寫塔夫中學這所虛擬學校日益增加的暴力行為和違反校規的問題。在這個練習中，學生將組成委員會，和校長及幾位教師會議討論之後，要創設一個新的權威職位，來協助解決問題、緩和校園緊張氣氛。讓學生閱讀第 94 頁圖片下方的問題：「處理校園暴力和違反校規問題的職威職位，其範圍和限制是什麼？」

學生閱讀完畢後，參考塔夫高中學生表達的一些意見。在討論進行中，幫助學生理解，這些校園問題對老師、學校行政人員、學生、家長、社區和學校學術和課程計畫將會造成哪些影響。同時評估學生委員會可能考慮採納的權威職位類型，例如：學生法庭、校園巡邏隊、衝突調停者等等。

發給學生第 96 頁「設計權威職位的思考工具」的影印本。指導學生使用這張表格，協助他們對於新職位的設計，做出決定。將全班分為三至五人一小組，進行下列活動：

- 分析塔夫高中的問題
- 決定要創設什麼職位
- 建議這個職位應該擁有哪些權力、責任、特權和限制
- 考量這個職位對學生、教師、行政人員、家長、社區和塔夫高中的教學計畫會造成什麼影響。

**選擇性教學練習**

邀請大樓主委、地方行政人員或學校董事會成員來課堂參加本課教學。在報告進行時，這位社區資源人士可以加入學生自治會的小組討論。學生除了參與課堂上的模擬委員會的討論，也可以訪問社區資源人士的職位，以及該職位是如何被設計的。社區資源人士應該討論關於規劃、選擇或推薦某人擔任權威職位時的各項考量。

與學生閱讀課本第 95 頁的「委員會指導事項」，其中包括準備和進行口頭發表的注意事項。將圖表紙和簽字筆發給各組學生，請他們將該組的建議寫在上面。讓學生有充分時間準備他們的發表。

## 三、課程總結

選擇五位學生扮演塔夫高中學生自治會的代表。讓這組學生代表學生會提出他們的計畫。鼓勵各組的每一位學生都能在模擬會議中發言、提問。各組的發表應包括課文中列出的三點：

- 權威職位所欲達成的目標報告
- 建議的責任、權力、特權和限制
- 新職位可能造成的益處與代價

有關聽證會的指導事項，可參考本手冊第 19-21 頁。

各組發表結束後，請學生投票選出解決塔夫中學違反校規和暴力問題的最佳新職位。與全班討論各組口頭發表的優、缺點。

### 課後練習

課本第 95 頁「學以致用」，可以讓學生更進一步運用創設一項權威職位的知識。鼓勵學生使用本課學習到的標準來完成這些練習。可以讓學生個別或分組完成這些活動。請學生與全班分享他們的心得。

## 第十四課：挑戰權威有何限制？

### 課程概述

本課是權威課程的總結活動。學生將應用所學到的有關權威的知識，來判斷針對公民不服從所制定的範圍和限制是否恰當。學生將檢視一位年輕女子不願違背良心而違法所面臨的結果，並對此進行辯論。本課的閱讀內容改編自古希臘作家索福克勒斯（Sophocles）所著的悲劇《安蒂格妮》。它讓人思考個人良心和政府權威之間、國法與更高法律之間的衝突。

### 課程目標

本課結束時，學生應該能夠：

1. 運用他們所學關於權威的知識，評估文選中挑戰權威的範圍與限制。
2. 針對文選中的情境，表達對於挑戰權威的範圍與限制的見解，並為自己的立場辯護。

### 課前準備／教材範圍

學生課本第 98-111 頁。

## 教學程序

### 一、本課介紹

讓學生看課本第 98 頁及第 100 頁的圖，並回答圖片下方的問題：「哪些抗議形式可以被接受？哪些不行？」、「1940 年代，什麼原因讓甘地（Mohandas Gandhi）寧可選擇用公民不服從的方式去挑戰印度政府的權威？」

### 二、閱讀與討論

#### 美國歷史中的公民不服從事件

讓全班閱讀課本第 99-100 頁的「美國歷史中的公民不服從事件」。與學生一起討論，在美國社會中人民有哪些方法可以表達對法律、政府政策或當權者行為的意見？可以把近來發生的公民不服從事件列入討論。請學生舉出他們在報刊書籍或電視上讀到看到，或個人經驗的例子。詢問學生是否認為這樣的行動可以獲判無罪？如果答案是肯定的，理由是什麼？一個人挑戰權威的極限是什麼？

在討論期間，讓學生了解「公民不服從」的定義。本課所講述的公民不服從，是挑戰法律或政府政策的非暴力抗議行動。公民不服從，包括願意接受違法所帶來的後果。正是由於願意承擔個人違法行動後果，這一點讓公民不服從有別於其他違法行動。與全班討論摘錄自馬丁路德金恩牧師〈伯明罕獄中書信〉中的文字：「我認為某人反抗良心所譴責的不公平法律，並願意接受違法的懲罰而入獄，以喚起共同體的其他成員對於這項不公正法律的良知，事實上，這是表達對該項法律最高敬意的方式。」請學生從國家政治史當中，舉出公民不服從並且改變了法律或政府政策的例子。

### 三、批判思考練習

#### 對安蒂格妮的公民不服從，採取立場

讓學生閱讀課本第 101-108 頁的「對安蒂格妮的公民不服從，採取立

場」。「安蒂格妮的悲劇」描寫古希臘底希比市在經歷冗長而痛苦的內戰後，國王克里昂下令不讓引發內戰的波利尼克斯遺體埋葬。任何人違反這項命令，一律處死。然而安蒂格妮明知故犯，她將她哥哥波利尼克斯的屍體安葬，並表示這是遵守眾神的法律。安蒂格妮辯解，她選擇遵守天神的法律，而非人間的法律。克里昂下令將安蒂格妮帶至一個洞穴，將她遺棄在那裡，準備讓她慢慢地、痛苦地邁向死亡。不過克里昂在聽了一位盲先知的預言，表示將安蒂格妮處死將帶來不幸的後果時，他改變了心意。然而一切都已太遲，那時安蒂格妮已經自殺了。幾個小時後，克里昂所愛的家人都遭到了不幸。

在導入安蒂格妮的故事前，可以對全班說明它是由古希臘作家索福克勒斯（495-405 B. C.）所著，他是古希臘三大悲劇作家之一。索福克勒斯著有 123 部劇本，僅有 7 部留傳下來。安蒂格妮的悲劇最初發表於西元前 441 年，它讓人思考個人良心和政府權威之間、國法與更高法律之間的衝突。

為了讓學生了解這些衝突，對全班說明，根據古希臘人的信仰，人死後若沒有安葬，就將永遠成為孤魂野鬼，飽受折磨。因此家人都必須為死亡的親人舉辦葬禮。不這樣做的話，不但切斷了家庭與忠誠、傳統之間的聯繫，更打破了與更高的、道德的法律的聯繫。因此安蒂格妮就必須在違反國法，或是安葬自己的兄弟之間做出抉擇。

由於這篇閱讀內容較長，可以將它分為幾部分，分配給幾個小組，然後請學生對全班報告故事內容。所有的學生都必須閱讀「安蒂格妮的悲劇」這一部分，其他各節則分配給各組負責。

讓各組有充分時間完成閱讀，並對全班報告他們閱讀的內容。在進行下個活動之前，讓全班閱讀課本第 107 頁圖片下方的問題：「如果允許安蒂格妮無罪獲釋的話，將造成什麼後果？」以及第 108 頁「如果你是克里昂，在決定是否處死安蒂格妮前，你會先問哪些問題？」

**四、課程總結**

全班進行一場辯論活動。將以下角色呈現在黑板上：第一組將以克里昂的立場進行辯論；第二組將針對安蒂格妮的論點進行反駁；第三組將以安蒂格妮的立場進行辯論；第四組將針對克里昂的論點進行反駁；第五組扮演底比斯人民。閱讀課本第 109-110 頁的「準備全班辯論」及「全班辯論的程序」。將學生分組，並讓他們有充分時間準備辯論內容。以下是一些相關問題，可以幫助各組學生組織他們的論點。

**克里昂的問題**

1. 如果克里昂對安蒂格妮法外開恩，會對他的權威造成什麼影響？
2. 如果克里昂的權威不受影響，在底比斯會引發什麼問題？
3. 克里昂為什麼認為他有權違反眾神之法？

**安蒂格妮的問題**

1. 安蒂格妮說服克里昂改變決定、放她一馬的論點是什麼？
2. 安蒂格妮決定遵守眾神之法而非人間法律的論點是什麼？
3. 安蒂格妮為什麼認為眾神之法的權威高於國法？

**底比斯人民的問題**

**針對克里昂：**

1. 是否當違法者言之成理時，可以例外網開一面？
2. 你說人民應該尊重權威，但你卻不尊敬眾神法律的權威。在你指控安蒂格妮不尊重權威時，你是否也不尊重權威？
3. 許多底比斯人支持安蒂格妮。把她處死是否會引發更大的問題？

**針對安蒂格妮：**

1. 如果克里昂赦妳無罪，妳認為其他人是否也會提出同樣的要求？克里昂要如何拒絕他們，才不會被認為不公平？如果克里昂對很多人網開一面，這對他的權威會造成什麼影響？
2. 如果克里昂改變他的規定，而遵守眾神的法律，人民是否會認為他很軟弱，而且這麼做是因為妳是他的姪女？這會不會削減他的權威？

3. 妳的兩位兄弟引發的內戰，曾導致國家沒有法律及脫序。妳認為如果妳以國王姪女身分違法，是否會帶動別人也這麼做？底比斯是否又會回到無法無天的狀態？

學生完成準備後，開始進行辯論。關於進行辯論的細節，可以參考本手冊第 32-34 頁。

請以課本第 110 頁「你的看法如何？」的問題，來結束本課討論。這些問題將幫助學生關注於本課提及的權威議題。在討論進行中，再次提及公民不服從的定義，以及承擔個人行動後果之意願的重要性。

幫助學生整理、比較克里昂和安蒂格妮的觀點。克里昂對國家盡責，並肩負身為人民領袖的責任。然而，他對於秩序和服從法律的渴求，與他個人的尊嚴、虛榮和意志相互糾纏。提醒學生，在前幾課他們討論過好的法律的條件，其中一個就是彈性，而這是克里昂的法律中所缺乏的。

克里昂沒有體會到法律應該恩威並施才對。安蒂格妮的命運可能很悲慘，然而因為她明知故犯，並願意接受她根據更高原則而行動的後果，所以她是一個品性高尚的人。然而，安蒂格妮並非完美的英雄，因為她傷害她的妹妹伊絲敏，也沒有為未婚夫西蒙著想。她和克里昂的個性都一樣缺乏彈性，而且都導致悲劇的結局。不同的是，安蒂格妮選擇了自己的命運，而克里昂則因固執和缺乏遠見而導致一連串的錯誤。

## 課後練習

權威課程至此全部結束。你可以和學生一同回顧及評估「民主基礎系列課程」權威部分的整體學習經驗，包括課程的內容及教學方法，這對你們而言將會相當有價值。將本手冊第 39 頁的「學習經驗回顧」影印發給每一位學生。提醒學生不僅應該省思和評估自己的學習經驗，也應該深入探究全班整體的學習經驗，並請學生分享彼此的想法。

# 隱私課程

## 隱私課程簡介

向學生說明，美國社會對隱私的重視，從美國憲法對隱私權的保障，就可以看得出來，舉例而言，增修條文第 3 條禁止士兵進駐民宅；增修條文第 4 條保護人民不受不合理的搜索、逮捕與扣押；增修條文第 5 條則保障民眾想有不自證己罪的權利。有些人批評憲法增修條文的保護範圍，使政府機構因此無法取得執法所需的必要資訊，但是有些人則不同意這樣的看法。他們擔心，如果個人與團體以某些合法或不合法的手段，努力取得與一般民眾相關的資訊 —— 往往這些手段變本加厲 —— 可能讓隱私權受到極大的威脅。隱私權適當範圍與限制為何，已是爭論的議題，而且可能會一直持續下去。向學生說明，他們在研讀本課程的過程當中，將檢視隱私的觀念、個人與社會在隱私方面的差異、隱私的益處與代價，以及隱私適當的範圍與限制等。

請全班同學閱讀課本第 2 頁的隱私簡介，和全班同學討論下列問題：

1. **你認為什麼是隱私？隱私的實例有哪些？**
2. **注意美國憲法的增修條文第 4 條並未提及「隱私」（privacy）這個詞彙，此條文以什麼樣的方式，暗示了公民有隱私權？它又以什麼樣的方式，要求美國政府尊重隱私權？**
3. **隱私與人類的自由與尊嚴，可能有什麼樣的關係？它和其他重要（公民）權利，例如財產權、人格權，以及思想、言論與宗教的自由等，又有什麼樣的關係？**
4. **公民的隱私權可能受到什麼樣的限制？為何這類限制有其必要性？**

請學生提出一些理由，說明為何了解隱私權十分重要，作為討論的總結。

# 第一單元：隱私的重要性？

## 介紹第一單元

向學生說明本單元的目的在於了解隱私的概念。學生將會學習隱私的定義，並學會在各種情況下，辨認與描述隱私的實例。另外，還將學到人們常用哪些方法限制其個人資料的發布，以保持隱私。最後，學生還會了解為何有些組織或機構可能需要保有隱私或保密。

引導學生看看課本第 3 頁的照片，請學生回答照片下方的問題：「這些照片如何說明隱私的重要性？」

請所有同學閱讀課本第 3 頁的「單元目標」，並列出三項他們預期在這單元會學到的事物，或三個他們想到有關隱私的問題。如果學生在進行這項課程的期間，有寫筆記的習慣，就可以把這些內容記在筆記裡，等學完整個隱私的課程之後，再把筆記的內容拿出來複習。在上第二單元、第三單元、第四單元的簡介時，記得重複這個動作。

## 第一課：何謂隱私？

### 課程概述

本課旨在介紹隱私的概念。學生將學會分辨與描述，哪些狀況是保有隱私？哪些狀況是缺乏隱私？同時將閱讀與討論隱私的定義，並檢驗一般人想保有隱私的事項，有哪些不同的類型：具體事實；行動內容；場所（places）與財產（所有物）；想法與感受，以及通訊內容。在「批判思考練習」的部分，學生將針對某些特定的情況，判斷其中是否保有隱私。他們要能辨別隱私的目的，並說明在每個狀況裡，為什麼當事者想要保有隱私。

### 課程目標

上完本課以後，學生應該要能做到下列事項：

1. 定義「隱私」一詞
2. 描述常見的隱私事項
3. 分辨哪些狀況是保有隱私，哪些狀況是缺乏隱私
4. 說明在某些特定的情況下，為什麼人會想保有隱私

## 課前準備／教材範圍

課本第 4-7 頁

發給每位學生一張本手冊第 101 頁的「隱私圓圈圖」。

報紙與／或新聞性雜誌，每三到四人的學生小組至少有其中一項。

## 教學程序

### 一、本課介紹

請學生回答這個問題：「為何人們需要隱私？」作為本課的開場，把學生的答案寫在黑板上。

請全班學生把自己想在學校裡或想在家裡保有隱私的事項列出來，將答案寫在黑板上。讓這些答案先留在黑板上，之後教到「何謂隱私？」當中的保有隱私的事項時，再回過頭來看這些內容。

請全班學生閱讀課本第 4 頁的「本課目標」，教師同時把「關鍵詞彙」呈現在黑板上。

### 二、批判思考練習

請學生看課本上的照片，以及照片下方的問題：「有關你的個人資訊，哪些你願意和同學或好友分享？哪些你完全不願意與人分享？」給學生一些時間思考這些問題，以便進行整個練習。發給每個學生一張本手冊第 101 頁的「隱私圓圈圖」。閱讀課本第 4 頁批判思考練習「檢視隱私的程度」的說明。請學生記下：

在圓圈 A 裡：願意和陌生人 —— 例如書店店員、在公車上遇到的人、報社或電視記者、政府普查人員等分享的個人資料。

在圓圈 B 裡：願意和認識的人 —— 例如同班同學、鄰居、朋友的朋友或者其他的熟人分享的個人資料。

在圓圈 C 裡：願意和親朋好友分享的個人資料。

在圓圈 D 裡：不願和任何人分享的個人資料。**由於這個圓圈的內容，不宜對外吐露，請學生在心裡「回答」想要放在這個圓圈內的資訊即可。**

學生做完這個練習以後，和全班同學一起討論下列問題：

1. 有哪些資料是人們願意或者不願意和陌生人、熟人、親朋好友分享的？願意或者不願意分享資訊的原因為何？
2. 每個人列出來的答案，有什麼相似之處？
3. 一般人完全不願分享的資訊，有什麼共同的特性？當面對特殊身分的人，例如圖書館員、地方官員、聯邦政府普查人員、國稅局官員或者警察等，要求我們提供某些資訊時，人們回應的方式有什麼不同？
4. 若無法分享個人私密，那麼與親朋好友間的關係，可能有什麼樣的影響？
5. 如果要在這個練習裡，再加上一個圓圈，用來囊括（他們）與專業人員的關係，例如顧問、神職人員、治療師、醫師或律師，這個圓圈可能可以畫在哪裡？在這種專業的關係裡，大家可能願意分享哪些資訊？
6. 如果個人私密被當成八卦消息傳播，在大眾傳播媒體披露（編註：老師可與學生討論大眾傳播媒體可以涵蓋哪些層面），或在法庭上公開，當事人會有什麼樣的感覺？
7. 學生針對自我對隱私的需求，是否有什麼嶄新的發現？有關一般人對隱私的需求，可以列出哪些通則？

## 三、閱讀與討論

### 何謂隱私？

請全班學生閱讀課本第 5 頁的「何謂隱私？」。請學生描述「隱私」

這個詞彙，把大家的答案寫在黑板上，確定大家提出的定義包括：1、決定是否與他人分享資訊的權利；2、獨處的權利 —— 保持一個人、遠離他人的狀態；3、免於他人干涉的權利。

請學生描述什麼是「保有隱私的事項」。把「保有隱私的事項」的五大類別，在黑板上列出來：具體事實（facts）；行動內容（actions）；場所（places）與所有物（possessions）；想法（thoughts）與感受（fellings），以及通訊內容（communications）。請學生回到在本課介紹時所提出想在學校保有隱私的事項，依據剛剛學到的五大類別，將這些事項加以分類。

## 四、批判思考練習

### 檢視涉及隱私的狀況

全班分組，一組三人。全班同學共同閱讀課本第 6 頁批判思考練習「檢視涉及隱私的狀況」的說明，並且一起複習第 6 頁「你的看法為何？」的問題。請各組把答案寫在一張紙上。

各組完成這項練習後，向全班分享自己的答案。

## 五、課程總結

請學生從書本上、電視上、電影裡或新聞裡，提出一些隱私的實例。學生必須說明：

1. 想保有隱私的人是誰？
2. 需要保有隱私的事項是什麼？
3. 不想讓誰知道這些事項？請學生提出這些事項需要保有隱私的理由。

把全班同學分為三人一組或五人一組。發給每個小組一份報紙，以及／或者一份新聞雜誌，請大家找出涉及隱私議題的文章或報導。請學生找出在文章或報導裡，是誰想保有隱私，保有隱私的事項是什麼，以及保有的隱私，是不想讓誰知道。並說明這些事項為什麼要保持隱私。之後，請學生和全班同學分享自己選出來的文章與報導。你也可以讓學生運用這些材料，針對隱私議題發起一個留言板（或教室公布欄）。

請學生再讀一次課本第 4 頁的「本課目標」，並自我評量，檢視自己達成哪些。

## 課後練習

第 7 頁「學以致用」中建議的活動，旨在加強或延伸學生在本課中學到的，如何找出常見的隱私事項，以及一般人在某些特定的情況下，會想保有隱私的原因。從事這些活動時，鼓勵學生多運用「批判思考練習」中提到的五個問題：

1. 這個狀況為什麼是隱私的實例？
2. 在這個狀況裡，是誰想保有隱私？
3. 想保有隱私的事項是什麼？
4. 想保有的隱私，是不想讓誰知道？
5. 你認為這個人為什麼想保有隱私？

你可以讓學生單獨完成這些活動，也可以讓他們分成小組來進行。最後，請學生和全班同學分享自己的成果。

根據活動 2 的建議，利用蒐集新聞剪報的活動，在全班發起一個留言板，鼓勵學生在接下來的課程裡，多提供一些報紙或雜誌的文章。

## 補充教材

### 隱私圓圈圖

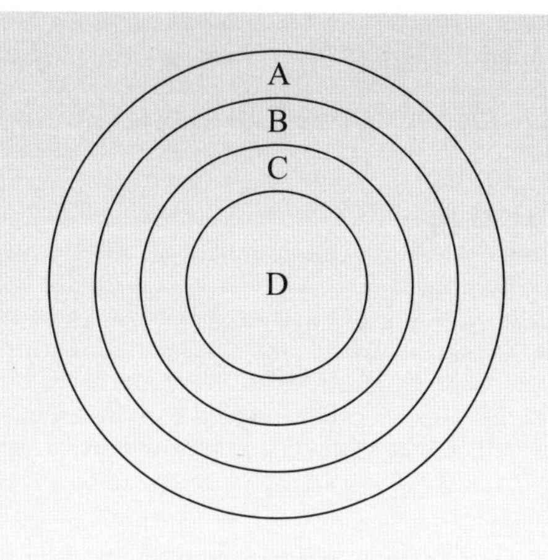


圓圈 **A**：把你願意和陌生人分享的個人資訊寫在這裡。

圓圈 **B**：把你願意和熟人分享的個人資訊寫在這裡。

圓圈 **C**：把你願意和親近的朋友和親人分享的個人資訊寫在這裡。

圓圈 **D**：保留自己，在心裡默想你不願與他人分享的資訊，不需寫出來。

## 第二課：一般人如何維護隱私？

### 課程概述

本課將介紹幾種不讓他人輕易接觸隱私事項的常見行為方式，以加強學生對隱私的了解。這些行為方式包括：（1）獨處（遠離群眾）；（2）保有祕密；（3）建立且維護因信賴而分享祕密的關係；（4）將他人排除在外。在「批判思考練習」的部分，學生將閱讀幾首討論隱私議題的詩篇，仔細分析其中某些段落，藉以找出並分析幾種用來維護隱私或保有祕密的常見方式。

## 課程目標

上完本課以後，學生應該要能做到下列事項：

1. 定義「獨處」（isolation）、「保密」（secrecy）、「分享祕密」（confidentiality）與「排除在外」（exclusion）等詞彙
2. 說明某些不讓他人看見或發現隱私事項或祕密的常見行為方式

## 課前準備／教材範圍

課本第 8-11 頁

## 教學程序

### 一、本課介紹

向學生說明，一般人會採取不同的行為方式來保有隱私，不讓他人知道。請全班同學想想自己在家裡或在學校，會採取哪些共同的行為方式，以維護隱私或保有祕密，並請大家舉出一些實例。把學生的答案寫在黑板上，將這些答案留在黑板上，等上到「一般人會採取什麼樣的行為方式，來保有隱私？」時，再回過頭來看這部分的內容。

請全班同學閱讀課本第 8 頁的「本課目標」，同時把「關鍵詞彙」呈現在黑板上。

### 二、閱讀與討論

#### 一般人會採取什麼樣的行爲方式，來保有隱私？

請全班閱讀課本第 8 頁的「一般人會採取什麼樣的行為方式，來保有隱私？」。請學生找出一般人會用來保有隱私的四種常見方式：獨處，保密，分享祕密與排除在外。把學生的答案寫在黑板上，然後請大家針對每種常見的行為方式，提出明確的實例。提醒學生注意，一般人會採取不同的行為方式來保有隱私，不讓他人知道。確定學生了解隱私與保密之間的關係，說明保有祕密也是一種維護隱私的方式，一個人可以保有某個祕

密，兩個人就可以分享祕密，或者關係十分親近的人，像是父母與子女，或者朋友之間，也可以分享祕密。如果是和專業人士之間分享的祕密，例如醫師與病人之間，或者律師與當事人之間，就是分享機密的實例。

回顧在本課的簡介階段，學生針對自己在家裡或在學校，會用來維護隱私或保有祕密的常見行為方式，所舉出的實例。請他們根據自己剛剛學到的四大類行為方式，把這些實例加以分類。把大家的答案記錄在黑板上。

## 三、批判思考練習

### 分辨一般人如何維護隱私

請大家看課本第 10 頁的照片，並請同學回答照片下方的問題：「戰爭或其他形式的衝突，可能會如何改變人們的隱私行為？」請學生和另一個同學合作，共同完成課本第 9-10 頁的批判思考練習「分辨一般人如何維護隱私」。此處的摘錄片段選自衛傅萊（Varian Fry）的作品「拯救任務」，描繪在希特勒入侵之初，要協助猶太藝術家、科學家與政治人物逃出法國，保密有多麼重要。和全班同學一起閱讀課本上有關如何完成這項批判思考練習的說明，同時和全班一起複習課本第 11 頁「你的看法如何？」當中的問題。等學生做完這項練習以後，請他們向全班同學分享自己的答案。

## 四、課程總結

把以下改編自喬治 • 奧威爾（George Orwell）的作品《1984》當中的片段，讀給全班同學聽。讀完以後，請學生創作一個短篇故事，說明改編片段中的主角溫斯頓 • 史密斯（Winston Smith），可以如何運用獨處、保密、分享祕密與排除在外等方式，逃過「老大哥」（Big Brother）的監視之眼。等學生寫完故事以後，請他們向全班同學分享自己的作品。

**改寫自《1984》**

那是個明亮而寒冷的四月天，時鐘剛剛敲過下午一點。溫斯頓 • 史密斯穿過玻璃門，進入自己公寓外面的走廊。他的公寓座落於七樓，而他每上一層樓，都會看見同樣的一張海報，上面有張巨大的臉孔，正在盯著他看，那張臉孔屬於一個年約四十五歲的男子，留著濃密的黑色鬍鬚，英俊的臉龐線條分明，兩隻眼睛似乎隨著他不斷往前移動，每張大海報的下方，都寫著同樣一句話：「老大哥正在看著你。」

外面的世界看來很淒冷，除了那張無所不在的大型海報之外，似乎所有的建築都沒有任何色彩。那張掛滿黑鬍子的大臉從每個角落向下俯望，「老大哥正在看著你」，海報上的字句如是說。遠處在成行的公寓建築之間，有一架直昇機起起落落，那是警察的巡邏機，在每個人的窗外窺探，不過這些巡邏人員沒什麼大不了的，只有思想警察最為重要。

溫斯頓回到公寓之後，聽見有個聲音在唸一連串的數字，那是鑲嵌在牆上的一個電視螢幕所發出來的聲音，溫斯頓轉動一個開關，使聲音變小，但那聲音吐露的內容依舊十分清晰，沒有任何方式，可以把電視螢幕完全關掉。

那個電視螢幕就像一般的電視螢幕一樣，可以接收到某些節目，但它的功能不止於此。溫斯頓所發出來的所有聲音，都會被這個電視螢幕接收，非但如此，只要他停留在這個螢幕的視線範圍之內，他的一舉一動，一言一行，就逃不過思想警察的法眼。當然你沒有任何方式可以得知，自己在某個片刻是否受到監視，思想警察多久會轉過來，監視任何人的公寓或住宅，沒有人猜得到，他們甚至可能時時刻刻，無所不在，盯著每個人看，你必須忍受這樣的狀況——這已經成了一種習慣——相信自己發出的每一個聲音，都會被監聽，而除非在純然的黑暗中，否則你的一舉一動，隨時都會受到監視。

請學生回顧課本第 8 頁的本課目標，請學生自我評量做到了多少。

## 課後練習

第 11 頁「學以致用」中建議的活動，設計的目的在於加強或延伸學生在本課中學到的一般人的隱私行為。進行這些活動時，鼓勵學生多運用獨處、保密、分享祕密、排除在外等詞彙，你可以讓學生單獨完成這些活動，也可以讓他們分成小組來進行。最後請學生向全班同學分享自己的成果。

## 第三課：為何隱私對個人及機構很重要？

### 課程概述

本課將說明隱私對於個人以及機構的重要性。機構的保密措施，指的是一般組織或機構，例如私人企業或政府機構，用來將某些資訊保密，以維護機構利益的做法。在批判思考練習，學生將模擬一場國會聽證會，藉由角色扮演，針對戰時新聞媒體的管制問題，做出決定。

### 課程目標

上完本課以後，學生應該要能做到下列事項：

1. 描述「機構」（institution）這個詞彙
2. 說明個人以及各種私人與公共的組織或機構，為什麼想要保有祕密

### 課前準備／教材範圍

課本第 12-18 頁

### 報紙與／或新聞雜誌

非必備的補充內容：邀請社區裡的某位人士，例如新聞記者和／或軍方人員，來參加全班的課程。

### 教學程序

**一、本課介紹**

向學生說明，他們已經探索過隱私對個人而言十分重要的某些原因。而在本課裡，他們將探索某些詩篇及文學作品當中所提到的，隱私對作者

及作品中人員的重要性，然後再探索為何隱私對組織與機構而言，也十分重要，例如一般企業，政黨，以及政府機構，都需要保有隱私，就連學校也往往會有一些需要保密的事物。

請全班閱讀課本第 12 頁的本課目標，同時把關鍵詞彙呈現在黑板上。

## 二、批判思考練習

### 檢視隱私對個人的重要性

在課本第 12-14 頁「檢視隱私對個人的重要性」批判思考練習裡，學生會讀到保羅•賽門、羅伯特•佛洛斯特、拜倫，以及亨利•大衛•梭羅等人的作品，闡述他們對隱私的感受。你可以讓學生單獨作業，也可以讓他們和另一個同學合作，共同完成這項練習。複習課本第 15 頁「你的看法如何？」當中的問題。保留足夠的時間，讓學生回答這些問題，然後請他們向全班同學分享自己的成果。

## 三、閱讀與討論

### 爲何隱私對機構而言很重要？

請全班閱讀課本第 15 頁「為何隱私對機構而言很重要？」的內容。把課本中提到的機構列在黑板上：學校與大學、商業公司、博物館、醫院，以及聯邦政府、州政府與地方政府。請同學針對這些機構可能希望保有隱私或維持祕密的事項，提出具體的實例。他們希望保有隱私或維持祕密的事項，是不想讓誰得知？請學生試著說明，這些機構試圖保有隱私或維持祕密的動機何在。他們又可能採取什麼樣的行為方式，來保有隱私或維持祕密？

請學生從報紙或雜誌的文章理，找出一些說明機構隱私或保密行為的具體實例。請他們和全班同學分享自己找到的文章，然後把這些文章貼在隱私課程的留言板（公告欄）上。

## 四、批判思考練習

### 評量機構保密的狀況

請全班閱讀課本第 16-17 頁的批判思考練習「評量機構保密的狀況」，然後請大家看看課本第 16 頁的插圖，以及插圖下方的問題：「在波灣戰爭（Persian Gulf War）期間（1991 年），有哪些戰事訊息是史瓦茲科夫（Schwartzkopf）將軍應該和媒體分享的？又有哪些訊息是應該加以保留的？」

此處所閱讀「國會調查戰時的新聞管制措施」，描述的是國防部在 1991 年波灣戰爭期間，對新聞媒體的採訪限制。這段內容主要是為了參與一場模擬的國會聽證會而預作準備 —— 本手冊的第 18-19 頁，針對這類聽證會，有更為詳盡的說明。舉辦這場聽證會的目的，在於決定軍方在戰時的新聞管制方面所可以扮演的角色。等學生讀完這部分的內容以後，和他們一起討論課本第 17 頁「你的看法如何？」的答案。

另外和同學討論下列問題：

除了軍方以外，還有哪些機構可能希望將資訊保密？（學校，企業等）

一般機構，例如學校或企業等，可能需要及／或想要將哪類資訊保密？一般機構有哪些保密方面的需求？

有沒有哪些類型的資訊，是一般機構不該予以保密的？為什麼？

波灣戰爭時，軍方有哪些將資訊保密的需求與權利？民主社會中的公民，又有哪些接觸這些資訊的需求與權利？

把全班同學分為五組：第一組 —— 國防部，第二組 —— 廣電聯盟，第三組 —— 美聯社，第四組 —— 國防政策研究中心，第五組 —— 參院政府事務委員會。和全班學生一起閱讀課本第 17 頁與第 18 頁，有關「準備參加聽證會」與「進行聽證會」的說明。保留足夠的時間，讓學生針對軍方在戰時管制新聞媒體應該扮演的角色，準備發言的內容。如果你邀請了社區裡的某一位（或多位）人士，來參加學生的討論，請這些人協助學生準備扮演各自的角色。

### 五、本課總結

聽證會進行完畢以後，請參院委員會向全班同學分享他們的決定，以及他們如此決定的理由。和全班同學討論影響參院委員會決定的最重要因素，以及參院委員會的決定，對軍方、媒體與全國民眾可能產生的影響。如果你邀請了社區裡的某一位（或多位）人士，來參加學生的討論，請他（們）一起參與討論最後的結論。最後再和全班討論，上完本課以後，針對保密對機構的重要性，可能產生的結論。

請學生回顧課本第 12 頁的本課目標，請學生自我評量做到了多少。

本課也是第一單元的最後一課。如果學生有寫學習筆記，請他們摘要在課堂上所學到的隱私對個人與對機構的重要性。

### 課後練習

課本第 18 頁「學以致用」當中建議的活動，設計的目的在於加強或延伸學生在本課中學到的隱私或保密對機構的重要性。從事這些活動時，鼓勵學生分析下列幾點：

1. 有哪些事項或內容，組織或機構可能希望保有隱私或維持祕密？
2. 他們希望保有隱私或維持祕密的內容，是不希望讓誰知道？
3. 他們如何將這些事項保有隱私或維持祕密？
4. 為何他們會希望將這些事項保有隱私或維持祕密？

你可以讓學生單獨完成這些活動，也可以讓他們分成小組來進行。最後請學生向全班同學分享自己的成果。

## 第二單元：什麼因素可以解釋隱私行為的差異？

### 介紹第二單元

向學生說明本單元目的在於，協助學生了解每個社會裡的每一個個人都在尋求隱私。不過，不同的文化內部與文化之間，個人尋求隱私的行為，會有很大的差異。首先，學生會觀察到每個人想保有的隱私客體可能有所不同，例如年齡、體重或政治信念與宗教信仰等。

其次，學生會觀察到隨著各人用來限制隱私的手段不同，其所採取的保護隱私的行為也會隨之不同，例如在某個文化習俗裡，在公共場所偷聽旁人的談話內容，可能是一種禁忌；但在另一種文化裡，可能就沒有這樣的習俗存在。

提醒學生注意，每個人想保有的隱私可能都不太一樣，各人嘗試用來限制他人探知自己隱私的方式可能也有所不同。每個人生活的特殊環境，或許可以說明隱私行為何以有異。

請學生閱讀課本第 19 頁的插圖，並回答插圖下方的問題：「如何解釋不同的人在隱私行為的差異？」

請學生根據自己的經驗，提出某些可能導致一般人或自己的隱私行為有所差異的因素。

請全班學生閱讀課本第 19 頁的「單元目標」，並請大家針對第二單元的課程內容，列出三項預計會學到的事物。

## 第四課：人們的隱私行為，為何有其差異？

### 課程概述

本課聚焦於幾個有助於解釋隱私行為的因素。學生將學到對一個人的隱私行為會產生典型影響的七項因素：家庭、職業或角色、個人經驗、保有隱私的機會、對隱私的重視程度、其他相對重要的價值（Competing values），以及人與人之間的個別差異。這些會影響人們有不同隱私行為的因素，學生將會在本課的分組活動當中，有所發展和應用。

### 課程目標

本課結束後，學生應該要能夠做到下列事項：

1. 辨認並說明可能影響隱私行為的因素

2. 描述人們隱私行為的相似與差異之處

## 課前準備／教材範圍

課本第 20-28 頁

## 教學程序

### 一、本課介紹

請學生回答下列問題，作為本課的簡介：1、家庭環境會如何影響一個人的隱私行為？2、個人經驗會如何影響一個人的隱私行為？

請全班同學閱讀課本第 20 頁的本課目標，同時教師把關鍵詞彙呈現在黑板上。

### 二、批判思考練習

#### 檢視隱私行爲

讓學生兩人一組或三人一組去完成課本第 20-24 頁的「批判思考練習：檢視隱私行為」。這篇選文摘錄自美國作家艾迪司•華頓（Edith Wharton, 1862-1937）的短篇小說《旅程》，故事內容描述一名女子和病重的丈夫一起旅行，途中她得運用各式各樣的技巧，掩蓋丈夫已經死亡的事實，因為她深怕還沒有到達預定的目的地，丈夫的屍體就會被搬下火車。

讓各組學生閱讀短文，並且討論課本第 24 頁「你的看法如何？」的四項問題，以及第 22 頁和第 24 頁插圖下方的問題。請各組向全班同學分享答案。以下圖表所列的內容，是學生針對本練習的問題，可能提出的答案。

| 問題 | 可能的答案 |
| --- | --- |
| 1. 故事中的主角想保有什麼隱私？ | (1) 丈夫死亡的消息<br>(2) 她知道的確實死亡時間 |
| 2. 故事中的主角採取什麼行為來維護隱私？ | (1) 拉下窗簾（獨處）<br>(2) 拉起隔間的簾子，用別針緊緊別在一起（獨處與排除）<br>(3) 告訴服務人員她的丈夫還在睡覺（保密）<br>(4) 喝掉那杯牛奶（排除在外與保密）<br>(5) 假裝不知道丈夫已經死亡，計畫要尖叫，以及最後要假裝昏倒（保密） |

## 三、閱讀與討論

### 有哪些因素會對隱私行爲造成影響？

把生活中會對個人隱私行為造成影響的七大因素，呈現在黑板上：家庭、職業或角色、個人經驗、保有隱私的機會、對隱私的重視程度、其他相對重要的價值觀，以及個別差異。

將學生分成七組，各組三人或五人，每組負責討論一項因素。讓學生閱讀課本內容，各組針對所負責討論的因素，先詳細閱讀其內容說明與範例，再從中辨識出要保護的隱私客體，以及用來保有隱私的方式為何。同時請學生想一想，還有哪些其他例子，可以用來進一步說明每個因素。請各組和全班同學分享討論內容與實例。

## 四、批判思考練習

### 檢視影響隱私行爲的因素

先讓學生看課本第 27 頁的照片，並回答照片下方的問題：「有哪些因素可以說明名人的隱私行為？」

讓全班學生閱讀課本第 28 頁「批判思考練習：檢視影響隱私行為的因素」的活動說明。將學生兩人分為一組，一起探究並回答課本第 28 頁的四項問題。各組要和全班同學分享答案。

## 五、批判思考練習

### 評估不同的職業如何影響隱私行爲

在課本第 27 頁「批判思考練習：評估不同的職業如何影響隱私行為」中，學生會扮演電視談話節目中的人物，討論個人的職業對隱私行為所產生的影響。 全班同學分成兩組來進行這項思考練習。

步驟一：從兩組中選出一或兩名同學來擔任主持人，以帶領及規範之後的討論。

步驟二：把第一組的同學再分成七個小組，各自負責扮演下列角色：

- 魔術師
- 電影男／女演員
- 發明家
- 政治家
- 作家
- 律師

請各小組發展出一段演出內容，用來說明其職業如何影響自己對於隱私的需求。

步驟三：把第二組的同學再分成六組，各自負責扮演下列角色：

- 報社記者
- 訪談節目主持人
- 警官
- 醫師
- 私家偵探
- 心理醫師

請每組發展出一段演出內容，用來說明其職業如何要求自己：1、侵犯他人隱私；2、保護他人隱私。

為了簡化整個分組的過程，教師只要記得在這個練習中，不包括主持人，學生總共要扮演十三種角色。教師可以把所有角色寫在一張紙上，然後以此為根據，將學生加以分類。不過要特別注意，第二組有關角色扮演的說明，和第一組的說明內容不太一樣。

保留足夠的時間，讓各小組能夠準備自己的角色扮演。主持人也有時間準備訪問的題目。學生課本中也有一些問題可以參考採用。

### 六、本課總結

完成角色扮演的活動之後，全班討論下列問題：

1. 為何有些職業所需的隱私程度比較高？
2. 為何有些職業必須侵犯他人的隱私？
3. 為何有必要要求某些職業保護個人的隱私？
4. 為何從事新聞記者這類工作的人，必須探知個人隱私，然後又要保護這些隱私？

請學生依據課本第 20 頁的本課目標，自我評量學習成效。

### 課後練習

課本第 28 頁「學以致用」所建議的活動，目的在於協助學生能透過本課所學而加強或延伸對於隱私行為產生影響的因素之了解。

本課所建議的活動，都可以由學生單獨完成或者分組進行。最後留些時間讓學生和全班同學分享彼此的心得感想。

## 第五課：不同的社會，如何處理隱私議題？

### 課程概述

本課要讓學生辨別與說明不同的文化（cultures）之間，隱私行為的相似與差異之處。在學生分組活動的部分，會分析一段選文，內容描述了美國西南部的祖尼（the Zuni）族人的隱私行為。在第二篇選文中，學生要分辨，隱私行為如何隨著時間而改變，而且在不同的社會與經濟階級之間，隱私行為也會有所不同。

## 課程目標

上完本課以後，學生應該要能做到下列事項：

1. 說明隱私行為在文化上的相似與差異之處

## 課前準備／教材範圍

課本第 30-36 頁

## 教學程序

### 一、本課介紹

請學生回答下列問題，作為本課的簡介：「在一間牆薄如紙的屋子裡，你如何維護自己的隱私感？」

提醒學生，雖然在不同的社會裡，隱私行為可能有所差異，但所有的社會都需要隱私。

### 二、閱讀與討論

#### 每個社會用來維護隱私的方式，有哪些差異？

請全班同學閱讀課本第 30 頁的「每個社會用來維護隱私的方式，有哪些差異？」的段落內容。請學生定義「社會」（societies）這個詞彙，並請學生從閱讀內容中，找出不同的社會當中，不同的隱私行為，舉出來作為實例。如果班上同學有來自多種文化的不同族群，你也可以請來自不同文化的學生，和大家分享自己的文化當中隱私行為的實例。

## 三、批判思考練習

### 檢視另一個文化中的隱私

請學生單獨作業或和另一個同學合作，完成課本第 31-32 頁「檢視另一個文化中的隱私」的批判思考練習。〈隱私與祖尼族〉這篇選文，描述的是住在美國西南部一群人的隱私行為。

和全班同學一起閱讀課本上有關如何完成這項批判思考練習的說明，同時和全班一起複習課本第 32 頁「你的看法如何？」當中的問題。等學生做完這項練習以後，請他們向全班同學分享自己的答案。

## 四、批判思考練習

### 找出隱私行爲的差異

請學生單獨作業或和另一個同學合作，完成課本第 33-35 頁「找出隱私行為的差異」的批判思考練習。〈隱私權是一種神話〉這篇選文，描述的是不同的社會之間，以及同一個社會的不同世代與不同社會、經濟階級之間，隱私行為的差異。

全班一起閱讀課本上有關如何完成這項批判思考練習的說明，同時複習課本第 36 頁「你的看法如何？」當中的問題。等學生做完這項練習以後，請他們向全班同學分享自己的答案。

## 五、本課總結

請學生寫一則短篇故事，長度不超過兩頁紙。請學生想像自己生活在未來某個時刻的高科技社會中，要學生創造出兩種自己想要保持隱私或保密的事物。學生應該在這個短篇故事中，簡短描述自己想要保持隱私或保密的事物，並說明他們想保有的隱私，是不想讓誰知道，以及他們打算用什麼樣的方式，來保有這些隱私。另外故事中還應該敘述，有哪些因素會影響學生所創造的這些隱私行為。請學生向全班同學分享自己的故事。

請學生回顧課本第 30 頁的本課目標，並且自我評量在這方面做到了多少。

本課也是第二單元的最後一課。請學生在學習日誌摘要、記錄他們所學到的、可能會影響人們隱私行為的因素，以及不同的文化之間，隱私行為的相似與差異之處。

### 課後練習

學生課本第 36 頁「學以致用」所建議的活動，設計的目的在於加強或延伸學生在本課中學到的，會影響人們隱私行為的因素。

此處所建議的前三項活動適合單獨作業，請學生和全班同學分享自己的成果。

## 第三單元：保有隱私有哪些益處與代價？

### 介紹第三單元

說明隱私對於個人、團體或整個社會，都會帶來某些益處與代價。如果想針對保有隱私的範圍與限制，做出明智的決定，就一定得先了解在一般情況下，以及在某些特定情況下，隱私的益處與代價。

請大家看看學生課本第 37 頁中的照片，並請大家回答照片下方的問題：「這些照片反映了哪些隱私的益處與代價？」

請全班同學閱讀第 37 頁的「單元目標」；請大家說明為何針對某個特定狀況去辨別保有隱私的後果，是很重要的事情。並請大家針對第三單元的課程內容，列出兩項預計會學到的事物。

### 第六課：保有隱私可能會帶來哪些結果？

### 課程概述

學生在本課將學習辨識在一般情況及特定情況下，保有隱私的益處與代價。學生將學到的保有隱私的實例，就益處來說，包括自由、安全、保護經濟利益，以及獨特性。代價則包括寂寞與疏離、財務上的代價，以及導致錯誤行為與法治不彰的機會。學生將分成小組練習，針對特定的情況，辨別隱私的後果，並將這些後果分類為益處或代價。

## 課程目標

上完本課以後，學生應該要能做到下列事項：

1. 說明某些隱私共通的益處與代價
2. 分辨某些隱私的後果，並將這些後果分類為益處或代價

## 課前準備／教材範圍

課本第 38-42 頁

蒐集一系列來自社區、州或全國，與隱私議題相關的新聞報導。

## 教學程序

### 一、本課介紹

請全班同學閱讀課本第 38 頁的「本課目標」，同時把本課的「關鍵詞彙」呈現在黑板上。

### 二、批判思考練習

#### 檢視隱私的後果

把全班分成三人或五人一組。請全班同學一起閱讀本練習的說明。請全班同學閱讀插圖下方的問題：「美國憲法增修條文第 4 條：如何解除英國官員在殖民地運用協助搜查令，搜索其殖民地民宅與企業的現象？」

每組針對各個特定狀況，列出保有隱私的益處與代價，並和全班同學分享。下表所列是一些可能出現的答案。

| 保有隱私的後果 | | |
|---|---|---|
| 實例 | 益處 | 代價 |
| 美國憲法增修條文第 4 條 | 1. 人們在家裡可以隨心所欲，比較自由。<br>2. 人們在家裡能有安全感，因為官員若無充分的理由，不能隨便侵入民宅。<br>3. 人們的獨特性、自發性或是個人人性尊嚴，可能因此獲得提昇。<br>4. 保障隱私可能降低社會趨向威權主義或極權主義的機會。 | 1. 保障隱私讓人可能有策劃並執行犯罪活動的機會。<br>2. 警察執法的能力可能因此受阻礙。 |
| 諮商師的紀錄 | 1. 人們會有安全感，因為他人無法閱覽他們的諮商紀錄。<br>2. 進行記錄，在表達自己的想法時，可能享有更多的自由，能夠以比較坦率、開放的態度來書寫。<br>3. 如果病人或客戶的諮商紀錄，能夠保密，諮商師下筆時就能夠比較坦誠，給予比較直接的評量記錄。這樣其他的心理諮商人員如果需要參考這份紀錄，就能夠充分運用其中的資訊，來為其服務。 | 1. 有些人對於不能看自己的諮商紀錄，可能會感到不高興。<br>2. 這些紀錄可能有某些不正確的資訊，如果可以公開，其中的錯誤就能獲得糾正。 |
| 律師的保密義務 | 1. 當事人或許可以較為自在地討論案件相關的事項。<br>2. 當事人或許對律師能有更深的信賴感。 | 1. 有關當局或許因此無法取得誰該為某件罪行負責的重要資訊。 |
| Shandra 的祕密 | 1. Shandra 知道沒人會聽見她的聲音，就可以更自由地表達內心的感受。 | 1. 被排除在外的人可能會不高興。 |

向全班同學說明，雖然一般人對在某個特定情況下，保有隱私的益處與代價，可能會有某些共識，至於哪些益處與代價最為重要，則可能會有不同的看法。以第三種情況為例，大部分的人都會同意，保密的代價會讓有關當局無法取得重要的資訊，但其益處卻是讓律師與當事人之間，能夠建立一種坦然的關係，而這種關係對保障個人權利而言，十分必要。儘管如此，有些人可能會認為，取得資訊以逮捕罪犯的益處，遠勝於侵害被控告者權利的代價。

**教學練習補充：**請學生參考課本第 39 頁的第一種狀況，比較「協助搜查令」和美國憲法增補條文第 4 條。把下列名詞呈現在黑板上：「民宅擁有者」、「公民聯盟的權利」、「警察單位」，以及「反罪犯公民組織」，並將學生分成四組，各自扮演其中一個角色。每組準備一段簡短的報告，從其所代表組織的觀點，說明哪些益處與代價最為重要，，以及最不重要。請每個小組選出一位發言人，向全班同學說明整組的看法。結束前提醒全班同學，在考慮保有隱私的益處與代價時，除了自己的觀點，也要考慮到其他各種不同的觀點。

### 三、閱讀與討論

#### 保有隱私有哪些益處？

請全班同學閱讀課本第 40 頁的「保有隱私有哪些益處？」。把下列隱私的益處呈現在黑板上：自由、安全、保護經濟利益、獨特性、創意、親近感。請全班同學定義此處所列出的每項益處，並請大家從閱讀內容或個人經驗中，舉出一些實例，以說明每項定義。

請大家看看課本第 40 頁中的照片，並請回答照片下方的問題：「在納粹統治下的德國，由於缺乏隱私，其人民的自由、安全與獨特性如何遭受損害？」

## 四、批判思考練習

### 辨別與描述隱私的益處

兩人一組共同回答課本第 41 頁的批判思考練習「辨別與描述隱私的益處」當中的問題。請學生和全班同學分享自己的答案。

## 五、閱讀與討論

### 保有隱私有哪些代價？

請全班同學閱讀課本第 41-42 頁的「保有隱私有哪些代價？」。把下列有關保有隱私的代價呈現在黑板上：寂寞與疏離、缺乏激勵與知識上的成長、錯誤的行為與法治不彰、財務上的代價、缺乏責任。請全班同學定義此處所列出的每項代價，並從閱讀內容或個人經驗中，舉出一些實例，以說明每項定義。

和全班同學討論下列問題：

1. 你認為過度保有隱私會不會導致孤寂？
2. 隱私可能會如何妨礙知識上的成長？
3. 隱私可能會如何創造犯罪的機會？

## 六、批判思考練習

### 辨別與描述隱私的代價

兩人一組共同回答課本第 42 頁的批判思考練習「辨別與描述隱私的代價」當中的問題。請學生和全班同學分享自己的答案。

## 七、本課總結

每個學生獨立作業或兩人一組，各發給他們一篇有關社區、州或全國性的隱私議題之新聞報導。請學生閱讀報導內容，找出隱私可能帶來的後果。請大家把每項後果分類為益處或代價，並請他們和全班同學分享自己的結果，然後把學生的文章呈現在班級布告欄。

請學生回顧課本第 38 頁的本課目標，並請學生自我評量做到了多少。

### 課後練習

第 42 頁「學以致用」當中建議的活動，設計的目的在於加強或延伸學生在本課中學到的，如何分辨隱私的後果，並將這些後果分類為益處或代價。你可以讓學生單獨完成這些活動，也可以讓他們分組進行。最後請學生和全班同學分享自己的成果。

## 第七課：在信賴關係中分享祕密，可能會有哪些益處與代價？

### 課程概述

本課讓學生有更多的機會，可以練習辨認隱私的後果，並將這些後果分類為益處或代價。課文中選錄的閱讀內容，描述的是一名刑事辯護律師與一名心理治療師所面臨的特殊狀況，他們必須考量決定，是否透露有關當事人的重要資訊。在批判性思考練習中，全班同學將進行角色扮演，演出一場行政聽證會，以找出在這個情況下保有隱私會帶來的後果，同時針對用來解決這個兩難困境的辦法，採取一個立場，並加以捍衛。

### 課程目標

上完本課以後，學生應該要能做到下列事項：

1. 針對某個特定的狀況，找出保有隱私的後果
2. 將這些後果分類為益處或代價
3. 針對這個有關隱私的議題採取立場，並為其辯護

### 課前準備／教材範圍

課本第 44-51 頁

## 教學程序

### 一、本課介紹

請問學生，他們本身或他們認識的人當中，是否曾有人碰到過有人掌握重要機密資訊、而且必須決定是否透露這些資訊的情況。請學生和全班同學分享自己的經驗，不過當然要小心，不要在分享過程中，侵犯了任何人的隱私。請問學生，他們在那種情況下，最後決定怎麼辦。向全班同學說明，接下來大家即將讀到的故事，描述的就是一個類似的兩難困境。

請全班同學閱讀課本第 44 頁的本課目標。

### 二、批判思考練習

#### 爲何評估隱私的益處與代價很重要？

請全班同學閱讀課本第 44 頁的「為何評估隱私的益處與代價很重要？」。請學生針對評量隱私的益處與代價，如何有助於我們針對隱私的議題下決定，提出一些建議。

提醒學生，在我們要針對有關隱私的議題下決定之前，一定要先判斷哪些隱私的後果對我們來說最為重要。提醒大家，一般人針對在某個特定情況下，保有隱私的哪些益處與代價最為重要，可能會有不同的看法。

### 三、批判性思考練習

#### 說明保密的結果

請全班同學閱讀課本第 45-49 頁的批判思考練習「說明保密的結果」。此處選錄的閱讀內容「說與不說之間的一線之隔」，描述的是有位當事人向自己的律師坦承犯下殺人罪行的狀況，當這位殺人犯透露，他認錯了對象，所以殺錯人時，律師被迫面臨兩難的抉擇：他必須決定是否向地方檢察官透露這項訊息，以免兇手再次犯下殺人的大錯。為了更審慎的下決定，這位律師委託一名心理治療師，為這位當事人進行一連串的心理測驗。

由於這篇文章的內容很長，你或許可以讓學生分別負責閱讀其中某一段，然後輪流向全班同學報告自己負責閱讀的內容。等每個小組讀完了自己負責的段落，請他們向全班同學報告自己負責閱讀的段落內容。請大家看看課本第 46 頁與 48 頁中的照片，並請大家回答插圖下方的問題：「犯罪嫌疑人應該擁有什麼樣的隱私權？」以及「有關當事人的哪些資訊，律師應該保密？」

把全班同學分成小組，以便完成課本第 49 頁的練習：「辨別益處與代價」。指定某幾組負責處理「第一組：律師的保密義務」的練習內容，另外幾組則負責處理「第二組：心理治療師的保密義務」的練習內容。請每個小組分別回答自己負責的練習內容當中的問題，並請他們和全班同學分享自己的答案。

## 四、批判思考練習

### 評估違反保密原則的行為，採取立場，並加以辯護

在本批判思考練習中，學生會參與兩個行政聽證會 —— 一個是律師公會的聽證會，另一個是心理協會的聽證會。有關如何進行聽證會的進一步細節，請參閱本教師指導手冊第 25-27 頁有關模擬法庭的說明。

指定第一組的學生負責扮演律師公會的聽證會，第二組則扮演心理協會的聽證會。

然後將第一組與第二組的學生，進一步各細分為三個小組。

第一組的三個小組要執行的任務包括：

1. 田納西州律師公會負責聽取證詞的官員。
2. 代表律師公會的律師。
3. 代表萊羅伊・菲利浦斯的律師。

第二組的三個小組要執行的任務包括：

1. 田納西州心理協會負責聽取證詞的聽證會官員。
2. 代表心理協會的律師。
3. 代表喬治・伯考的律師。

和全班同學一起閱讀如何參與這項練習的說明。保留足夠的時間，讓學生能準備扮演自己的角色，然後開始進行這兩個行政聽證會。這兩個聽證會可以同時舉行，也可以先讓第一組進行他們的聽證會，讓第二組的人在一旁當觀眾，然後再讓雙方交換角色。

### 五、課程總結

聽證會進行完畢以後，請聽取證詞的官員和全班同學分享他們的決定，以及他們如此決定的理由。和全班同學討論在這個狀況下保有隱私的後果，同時區辨各項益處和代價。

請學生回顧課本第 44 頁的本課目標，並請學生自我評量在這方面做到了多少。

### 課後練習

課本第 51 頁「學以致用」當中建議的活動，設計的目的在於加強或延伸學生在本課中學到的，針對某個特定情況，判斷保有隱私會帶來什麼樣的後果的能力，並運用這些後果的益處與代價，來評量某些有關隱私的議題，採取一個立場，並加以捍衛。你可以讓學生單獨完成這些活動，也可以讓他們分成小組來進行。最後請學生和全班同學分享自己的成果。

## 第八課：政府保密可能會有哪些益處與代價？

### 課程概述

本課讓學生進一步練習區辨隱私的後果，將之分類為益處或代價。批判思考練習的活動內容，是 1971 年美國最高法院的一個真實案例「紐約時報訴美國政府」（New York Times Co. v. United States），即後來普遍為人所知的「五角大廈報告案」（Pentagon Papers Cases）。本課請全班同學參與模擬法庭的活動，評估在該案狀況下，保有隱私的後果。

## 課程目標

上完本課以後，學生應該要能做到下列事項：

1. 檢視允許聯邦政府機構保有機密的益處與代價
2. 說明在評估隱私議題、採取立場並為其辯護時，先考量隱私之益處與代價的用處
3. 說明為何立場不同的人，對隱私的益處與代價，會有不同的評價

## 課前準備／教材範圍

課本第 52-55 頁

## 教學程序

### 一、本課介紹

詢問全班同學是否知道或曾聽聞，政府機構保守祕密不讓大眾知道？請同學談談任何這類的情況，也請同學說明碰上這種情況時，通常會決定如何因應。向全班同學說明，以下大家即將讀到的案例，就是類似的兩難困境。

請全班同學閱讀課本第 52 頁的本課目標，同時教師將「關鍵詞彙」呈現在黑板上。

### 二、批判思考練習

#### 檢視政府的隱私

課本第 52-54 頁的批判思考練習「檢視政府的隱私」，是以 1971 年，美國最高法院的一個案例「紐約時報對美國政府案」（New York Times Co. v. United States）為基礎，讓全班同學參與模擬法庭的聽證會練習活動。此處的內容摘錄自「五角大廈報告案」（Pentagon Papers Cases），敘述美國前政府雇員丹尼爾•艾斯伯格（Daniel Ellsberg），如何在未經授權的狀況下，取得有關越戰政策的機密資訊。當紐約時報開始刊登這份報告

的摘要內容時，美國政府提出訴訟，要求發出禁制令，禁止報社進一步刊登報告內容。

請大家看一下課本第 54 頁的插圖，以及插圖下方的問題：「艾斯伯格違法將『五角大廈報告案』的內容，交給紐約時報與華盛頓郵報，引發許多爭議，這對美國政府是否應阻止這份報告公開發表，會不會有任何影響？」請學生討論這個問題，並把想法列出來。

請同學閱讀選文內容，並請大家重述其中具有爭議的事項，把需要保有隱私的內容找出來，是誰想將這些資訊保持隱私，以及他們為什麼想保有這種隱私。請學生描述政府試圖用來維護隱私的方式。指出報社方面的說法，為何他們認為政府不該保有這種隱私。

請全班同學指出在這種情況下保有機密的後果，把大家的答案寫在黑板上。以下是大家可能提出的答案：

- 未來的作戰計畫就不會讓敵人得知。
- 政府協商代表在協商和平條約時，或許可以談到比較好的條件。
- 洩漏這些資訊可能危及其他有關國家安全的利益。
- 禁止刊登這些資訊可能侵犯美國憲法增修條文第 1 條賦予人民的權利。
- 這些資訊若無法刊登，人民要解讀政府政策時，可能缺乏充分的訊息。

把下列角色貼在黑板上：

- 美國最高法院法官
- 紐約時報的律師
- 美國政府的律師

如果只有三個角色會讓一個小組人數太多，使同學無法充分參與討論，那就再額外加入兩個角色：

- 負責為紐約時報提出辯駁的律師
- 負責為美國政府提出辯駁的律師

和全班同學一起閱讀課本第 54-55 頁，有關如何準備與進行聽證會的說明「進行最高法院聽證會」。確定學生了解其中的說明內容。把全班同學依照黑板上的組別分為三組（或五組），保留足夠的準備時間，然後再開始進行聽證會。

有關如何進行模擬法庭的進一步細節，請參閱本指導手冊第 25-27 頁有關模擬法庭的說明。

## 三、本課總結

聽證會進行完畢以後，請法官向全班同學宣讀該組的決定及其理由。

請同學指出各組針對每個議題所提出的論點，哪些言之有理，哪些理由薄弱，並且評量各組的表現。請同學說明，在該案例之特定情況下，為何各小組會對隱私的益處與代價，採取了不同的立場。

可能出現的答案包括：

- 為了保護國家的利益
- 為了增加公民對政府資訊的可近性
- 為了落實美國憲法增修條文第 1 條所賦予的權利
- 為了增加政府官員的可責性

最後提醒全班同學，在思考有關隱私的益處與代價時，除了自己的觀點，還要多加考慮各方不同觀點。或許你可以和全班同學分享法院針對這個案例的判決結果，詳細內容請參考下列「教師參考內容」。

請學生回顧課本第 52 頁的本課目標，並請學生自我評量做到了多少。

本課也是第三單元的最後一課。假如學生有記筆記，請他們在學習日記摘要記錄他們所學到的如何辨認隱私的後果，以及如何針對某個特定情況，區辨隱私的益處與代價。同時請學生說明，為何在針對有關隱私的議題進行決定時，考慮各種不同的觀點，十分重要。

## 課後練習

第 55 頁「學以致用」當中建議的活動，設計的目的在於加強或延伸學生針對某個特定情況，判定隱私後果的能力，以及使學生運用這些後果的益處與代價，針對相關的隱私議題進行評估，採取立場，並為其辯護。你可以讓學生單獨完成這些活動，也可以讓他們分組進行。最後請學生和全班同學分享自己的成果。

**教師參考內容**

「五角大廈報告」的正式名稱是「美國越南政策的決策過程發展史」，這份長達 47 冊，多達 7,000 頁的歷史報告，涵蓋了美國參與越戰的整個過程，從杜魯門總統到詹森總統的執政時期都包括在內。丹尼爾・艾斯伯格當時擔任政府的分析專家，協助完成這份報告，但是後來卻成了一位反戰人士。

**紐約時報訴美國政府，編號 403 美國 713 （1971 年）**

美國最高法院以 6 比 3 的票數判決，美國政府並未提出充分的理由，足以阻止這份報告公開發表。9 位法官都寫下了自己的看法，布萊克法官寫的是：「美國憲法增修條文第 1 條的歷史起源與語言運用，都支持媒體應該有發布消息之自由的看法，無論消息來源為何，媒體都應能在不經過審查 (censorship)、禁制 (injunction) 或事先限制 (pripor restraints) 的情況下，自由發布消息。」布萊克曼法官則抱持不同的看法：「美國憲法增修條文第一條……賦予執行單位處理外交事務的權力……憲法中的每個條款都很重要，我無法支持讓增修條文第 1 條擁有無限擴大的絕對權限，卻犧牲了其他的條文……」

## 第四單元：隱私的範圍與限制？

### 介紹第四單元

向學生說明本單元目的，在於協助學生了解並運用思考步驟，去分析隱私議題，評估有沒有替代的行動方向，以及針對某個特定的情況，決定隱私權的範圍與限制。

學生應該了解到，如果個人或機構主張有隱私權，而另一個人或機構對前者想保有隱私的事項，又展現出想知道的興趣或主張有知道的權利，就會引發某些衝突。因此，在某些情況下，犧牲隱私權，以彰顯其他的價值觀，可能是合理而公平的決定；而在另一些情況下，隱私權則應該受到保護。為了能在某個特定的情況下，針對有關隱私權的衝突，做出明智的決定，我們有必要在決定如何化解這項衝突之前，先針對衝突的內容加以分析，並評估各種可能的解決方式。用來分析隱私衝突，並評估各種解決隱私衝突方式的程序，稱為「思考工具」，有關思考工具更詳細的內容與目的，請參閱本手冊第 7-8 頁的內容（教學策略：分析議題所需的思考工具）。

讓學生看課本第 57 頁的圖片，並請大家找找看，在每張照片裡，是誰想擁有隱私，接著再請學生針對每張照片中想保有隱私的人，指出是誰有興趣或有權利，想探知他們的隱私。請學生回答插圖下方的問題：「這些照片顯示出哪些有關隱私範圍與限制的議題？」

提醒學生，我們身為民主社會的公民，所面臨的某些重大議題，就包括隱私權的範圍與限制等問題。在想要保有隱私的個人或團體，以及主張有權獲知某些隱密資訊的群體之間，經常會出現這樣的問題。在某些情況下，保護隱私權是合理而公平的選擇，但在另一些情況下，其他的價值觀與利益可能更加重要。

請全班同學閱讀課本第 57 頁的「單元目標」，並請大家針對第四單元的課程內容，列出兩項預計會學到的事物。

## 第九課：哪些考量有助於處理隱私議題？

### 課程概述

本課要向學生介紹一組程序，也就是我們使用思考工具的步驟。在分析隱私衝突、評量各種可能採取的行動，以及要在某些特定情況下、決定隱私的範圍與限制時，思考工具有很大的用處。思考程序包括下列步驟：

1. 找出要求隱私的人
2. 找出想侵犯他人隱私的人
3. 檢視相關的考量事項
4. 評估處理這項議題的其他方式
5. 採取立場，並為其辯護

批判思考練習可以協助學生運用這個程序。

## 課程目標

上完本課以後，學生應該要能做到下列事項：

1. 了解為何要運用思考工具來檢視隱私議題所引發的衝突
2. 運用思考工具去評估隱私議題，採取立場，並為其辯護

## 課前準備／教材範圍

課本第 58-64 頁

## 教學程序

### 一、本課介紹

請全班敘述一個學校裡或社區裡有關隱私的衝突。請大家說說看，他們可能需要哪些類型的資訊，才能分析與解決這種衝突。提醒學生，在本課中全班將學到一組程序，可以用來協助大家解決有關隱私的衝突。

請全班閱讀課本第 58 頁的「本課目標」，教師同時把「關鍵詞彙」呈現在黑板上。

## 二、閱讀與討論

### 政府何時可以侵擾你的隱私？

要學生看課本第 59 頁中的圖片，並回答照片下方的問題：「我們是否應堅持政府官員一定要有搜索票，才能進入我們的住宅？你可以舉出哪些實例來支持你的立場？」給學生一些時間列出自己的想法。

讓全班閱讀課本第 58-59 頁的「政府何時可以侵擾你的隱私？」的段落內容，請學生指出這個段落中所討論的哪些價值與利益，可能和美國憲法增修條文第四條所規定的住宅隱私權產生衝突。詢問學生，對於何時要支持隱私權、何時要維護其他的價值或利益而放棄隱私權，為何這類的決定很重要？協助學生了解：

1. 隱私可以協助維護其他的價值，例如自由（freedom）、親密性（intimacy）、個人的獨特性、創意與信任。
2. 隱私可能和其他重要的價值與利益產生衝突，例如知的權利，以及為了逮捕犯法者所必要的資訊需求。

既然我們生活在一個憲政民主社會，公民有權利參與決定自己的和他人的隱私權。十分重要的是，對於主題資訊充分的知情，才能明智的參與對話。

## 三、批判思考練習

### 辨識美國憲法增修條文第 4 條中相互衝突的價值與利益

請學生和另一個同學合作，共同回答課本第 59-60 頁的批判思考練習「辨識美國憲法增修條文第 4 條中相互衝突的價值與利益」後面的「你的看法如何？」當中的問題。此處選錄的文章內容「傑克•佛洛斯特：公民與犯罪嫌疑人」，描述隱私如何成為美國公民傑克•佛洛斯特生活中很重要的一環，但他卻被懷疑涉嫌擔任組織犯罪的首謀。和全班一起閱讀課本上有關如何完成這項批判思考練習的說明，並請學生向全班同學分享自己的答案。

## 四、閱讀與討論

### 分析隱私議題時，應該考慮哪些事項？

向學生說明，這個段落和接下來的批判思考練習，都是要讓學生了解，在分析及評估隱私問題，並且要對隱私議題作出決定時，一些非常重要的考量與步驟。

請將對於解決隱私衝突很有幫助的四項重要考量，呈現在黑板上：同意、合法性、法律義務與道德義務。

說明這些考量事項指的是，在某些特定情況的隱私衝突當中，對於問題如何解決，具有決定性影響的事實（fact）。例如，假使警察合法取得搜索狀，要搜索一間房子，那麼這個特殊的情況就賦予他們合法權利，用這種有限的方式去侵犯他人隱私。

請介紹思考工具的概念。本手冊的第 7-8 頁有思考工具的相關說明。讓全班閱讀課本第 60-62 頁的「分析隱私議題時，應該考慮哪些事項？」的段落內容。請學生定義你呈現在黑板上的四大考量事項，並從閱讀內容中舉出一些實例。

## 五、批判思考練習

### 描述相關的考量事項

請全班閱讀課本第 62-63 頁的批判思考練習「描述相關的考量事項」的段落內容，這篇選文〈搜身〉，描述的是美國最高法院的一個案例「泰瑞訴俄亥俄州案」（Terry v. Ohio）。在此案中，約翰•泰瑞與理察•奇爾頓兩人被警官馬丁•麥克法登認為行為可疑，而遭到警方搜身。

請學生列舉案件中的事實，找出以下各項：

1. 本案中，誰想要保有隱私
2. 他們想保有什麼樣的隱私
3. 他們如何試著保有隱私
4. 他們為什麼想要隱私
5. 誰想要侵犯隱私

6. 他們如何侵犯隱私
7. 他們為何想侵犯隱私

把大家的答案記下來，並呈現在黑板上，等到最後進行第 62-63 頁的批判思考練習「描述相關的考量事項」時，再回過頭來使用這些內容。

讓學生三人一組或五人一組，回答課本第 63 頁「你的看法如何？」當中的問題，並請學生和全班同學分享自己的答案。

以下是一些可能出現的答案：

泰瑞和奇爾頓同意接受警官搜身嗎？

不同意。麥克法登警官是在對街觀察這兩個人的行為而採取了行動。

麥克法登警官有合法權利對泰瑞和奇爾頓搜身嗎？

有。由於他們行為可疑，麥克法登警官有權阻止他們，並搜出他們可能用來攻擊他的武器。

麥克法登警官有法律義務，不該對泰瑞和奇爾頓搜身嗎？

泰瑞和奇爾頓兩個人都宣稱，搜身是侵犯了憲法增修條文第 4 條所賦予他們的權利。

麥克法登警官有道德義務，不該對泰瑞和奇爾頓搜身嗎？

麥克法登警官是在觀察過這兩個人的行為之後，才採取行動，攔阻他們，並對他們進行搜身，他們反覆的行為模式讓人產生合理的懷疑，並讓警官有採取搜身行動的義務。此處所謂的搜身，只是拍拍嫌犯衣服的外側，找找看裡面有沒有藏匿可能用來攻擊的武器，麥克法登警官是等找到武器以後，才把手伸進嫌犯的口袋裡。

**非必備的補充內容：**或許你可以邀請社區裡的某一位人物，例如警官、法官或律師，來參加全班的練習活動，協助學生分析「泰瑞訴俄亥俄州案」。

你也可以讓全班同學針對這個案件的上訴聽證會進行角色扮演，把全班同學分為三人一組，其中一人扮演法官，一人代表泰瑞提出辯解，另一個人則負責為州政府辯護，鼓勵學生運用思考工具來準備自己即將扮演的角色，等學生為泰瑞和州政府各提出辯護之後，請每組的法官輪流發言，針對案件內容進行判決。請法官和全班同學分享自己的決定，以及如此決定的理由。

有關如何進行這類簡易法庭的詳細論述，請參閱本手冊第 23-25 頁的內容。

## 六、本課總結

請全班看課本第 61 與 63 頁中的圖片，並針對插圖下方的問題：「要求公職人員透露有關自身的資訊，你認為會有什麼益處與代價？」與「在哪些情況下，我們允許執法官員為了搜出武器因而可對嫌犯搜身？」撰寫一段簡短的回應。

請學生回顧課本第 58 頁的「本課目標」，請學生自我評量做到了多少。

## 課後練習

第 64 頁「學以致用」當中建議的活動，設計的目的在於加強或延伸學生在本課中學到的，如何運用思考工具，針對隱私議題採取立場。你可以讓學生單獨完成這些活動，也可以讓他們分成小組來進行。

## 教師參考內容

「泰瑞對俄亥俄州案」，編號 392 美國 1（1968 年）判決的結果是，以第 4 修正案賦予的權利來看，警方即使沒有搜索狀，攔下嫌犯並搜查武器的行動仍屬合理，大法官華倫寫道：「一定有一個狹窄的權限範圍，允許警察在有理由相信，自己面對的是危險的持械嫌犯時 —— 無論他是否有確切罪名可以逮捕此嫌犯 —— 可以進行合理的武器搜索，以保護自身的安全。警官不需要百分之百確定對方持有武器。此處的重點在於，一個明智審慎程度在合理範圍內的人，面對這樣的情況，確實能被賦予相信的權利，相信自身的安全或他人的安全已經陷入危險。」

## 第十課：執法時可能會引發哪些隱私衝突？

### 課程概述

本課讓學生有機會應用相關的考量事項與程序，去解決特定情況中的隱私衝突。本課選讀文章描述的是一個名叫愛德華•勞森的人，如何挑戰美國加州的法律。根據該法律規定，一個人沒有什麼明顯的理由或事情，在街上閒晃（loiter）或晃蕩（wander），而且被警察攔下時，也不肯解釋原因，就是一種犯罪行為。本課的活動提供學生一個練習機會，運用思考工具去釐清隱私議題的立場。

### 課程目標

上完本課以後，學生應該要能做到下列事項：

1. 運用思考工具針對隱私議題採取立場，並加以捍衛

### 課前準備／教材範圍

課本第 66-69 頁

**非必備的教材：**發給每個學生一張本手冊第 138 頁或學生課本第 69 頁上的「隱私議題的思考工具表」。

### 教學程序

**一、本課介紹**

請大家看看課本第 68 頁中的圖片，並請大家回答下方的問題：「你寧願生活在一個什麼樣的社會中：是警察可以在街上隨便把人攔下來、清查身分的社會，還是警察不能這樣做的社會？」。向全班說明，在本課中大家將檢視一種特定情況，那就是美國加州的法律規定一個人在街上閒晃——沒有明顯理由的在街上四處遊蕩——是一種非法行為。

請全班同學閱讀課本第 66 頁的「本課目標」，教師同時把「關鍵詞

彙」呈現在黑板上。

## 二、閱讀與討論

### 隱私議題的分析程序

讓全班閱讀課本第 66-67 頁的「隱私議題的分析程序」，作為複習的方式。等學生讀完以後，把可以用來分析隱私議題的五個步驟程序呈現在黑板上：

- 找出要求隱私的人
- 找出想侵犯他人隱私的人
- 檢視相關的考量事項
- 評估處理這項議題的其他替代方式
- 採取立場，並為其辯護

請學生從本身的經驗或從閱讀的內容當中，找出一個隱私議題，以便運用上述程序，來判斷某人的隱私權是否受到侵犯。或許學生可以在本課最後面，和大家分享自己的想法。

## 三、批判思考練習

### 評估執法的立場

請學生分成三人一組或五人一組，共同完成課本第 71 頁的批判思考練習「評估執法的立場」。和全班一起閱讀課本上有關如何完成這項批判思考練習的說明。此處選錄的短文〈陌生人〉，描述的是美國公民愛德華•勞森在街上遊蕩時，被一名警官攔下來的事件，當警官要求他表明自己的身分時，勞森不願和警官合作，於是警官逮捕了勞森，因為勞森違反了加州法律的規定：「如果一個人在街上閒晃或四處遊蕩，或者並非基於明顯的理由，只是從一個地方遊蕩到另一個地方，而且在被警察攔下時，又不願說明自己的身分，也不願配合警方的要求而說明自己來到此地的原因，就是犯罪。」發給每個學生一份本手冊第 138 頁上的「隱私議題的思考工具表」，或者讓學生直接使用課本上的表格。

### 四、本課總結

請學生和全班同學分享他們在第 66-67 頁針對「隱私議題的分析程序」的五個問題所給的答案內容。

請學生回頭看一下課本第 66 頁的「本課目標」，並請學生自我評量做到了多少。

## 課後練習

課本第 68 頁「學以致用」當中建議的活動，設計的目的在於加強或延伸學生在本課中學到的，運用思考工具來評量隱私議題的不同立場，採取立場，並為其辯護。在每項活動中，鼓勵學生使用五個步驟的既定程序，來評估有關隱私議題的不同立場，進而採取立場，並加以捍衛。你可以讓學生單獨完成這些活動，也可以讓他們分成小組來進行。請學生和全班同學分享自己的成果。

### 教師參考內容

「克隆德訴勞森案」（Kolender v. Lawson，103 S. Ct. 1855 (1983)），美國最高法院以 7 比 2 的票數判決，加州法律有不符憲法的模糊之處，無法釐清何謂讓嫌犯提供「可信且可靠」的身分識別。大法官 SandraDay O'Connor 寫下了主要的釋憲意見：「我國憲法設計的目的，在於有序之自由的架構內，讓個人享有最大的自由，任何對這類自由設限的法律規章，不但其發布當局與內容要受到檢驗，其表述的明確性與確定性，也要受到檢視。以目前法律來看……【該法條】未訂定清楚明確的標準，以便據以判定嫌犯採取哪些行動，才算是提供「可信而可靠」的身分識別證明的要求。上訴人強調有必要加強執法工具，以對抗不斷蔓延、危害國家的犯罪問題。我國國民對阻絕犯罪活動的關切，顯然需要政府各有關單位的重視，但與這類關切同等重要的，是立法內容不能因此就犧牲符合憲法所要求之明確而清晰的標準。」

| 隱私議題的思考工具表 | |
|---|---|
| **問題** | **答案** |
| 1. 找出要求隱私的人：<br>(1) 在這個例子裡，誰的隱私受到侵犯？<br>(2) 這個人想保有何種隱私？<br>(3) 這個人用什麼樣的方式，來保有這項隱私？<br>(4) 這個人為何想保有這項隱私？ | |
| 2. 找出想限制或侵犯他人隱私的人：<br>(1) 誰想限制或侵犯他人的隱私？<br>(2) 這個人如何侵犯他人的隱私？<br>(3) 這個人為何想侵犯他人的隱私？ | |
| 3. 檢視相關的考量事項：<br>(1) 這個人同意讓自己的隱私權受到侵犯嗎？請加以說明。<br>(2) 侵犯他人隱私的人，有合法的權利這樣做嗎？為什麼？<br>(3) 侵犯他人隱私的人，在法律上有義務不該這樣做嗎？為什麼？<br>(4) 侵犯他人隱私的人，在道德上有義務不該這樣做嗎？為什麼？ | |
| 4. 評估處理這項議題的其他方式：<br>(1) 承認這個人有隱私權，會有哪些益處與代價？<br>(2) 不承認這個人有隱私權，會有哪些益處與代價？<br>(3) 想侵犯他人隱私的人，還可以運用哪些其他的方式，蒐集一些可用的資訊？<br>(4) 這些方式各有什麼益處？<br>(5) 這些方式各有什麼代價？ | |
| 5. 採取立場，並為其辯護：<br>你認為這個問題應該如何解決？說明你的立場。 | |

## 第十一課：科技的進步對隱私有哪些威脅？

### 課程概述

學生分析隱私衝突，評估各種可能的行動方案，以及針對某特定情況加以決定隱私的範圍與限制的各項能力，在本課將更為延伸。學生在本課將透過國會聽證會的角色扮演，針對國民健保卡之立法提案，聽取各方的證詞。這個國民健保卡的制度是由總統提出，想讓醫師與醫院都能取得完整的個人醫療紀錄。

### 課程目標

上完本課以後，學生應該要能做到下列事項：

1. 評估涉及科技之隱私議題的不同立場
2. 針對涉及科技之隱私議題，採取立場，並為其辯護

### 課前準備／教材範圍

課本第 70-75 頁

可彈性選擇的方式：發給每個學生一張本手冊第 138 頁或學生課本第 69 頁的隱私議題的思考工具表。

### 教學程序

#### 一、本課介紹

讓學生想想看，在哪些情況下，科技會對個人保有隱私或保密的能力產生影響。請學生向全班同學分享自己的經驗，並請學生想想看，如果有關自己本身的所有資訊，都儲存在一個中央資料庫裡，凡是有電腦的人，隨時都可以取得這些資料，他們會有什麼樣的感覺。向全班說明，在本課中將檢視一個建立中央政府資料庫的假設性提案。

請全班閱讀課本第 70 頁的本課目標，教師同時把關鍵詞彙呈現在黑

板上。

## 二、閱讀與討論

### 電腦如何影響隱私？

請全班閱讀課本第 70 頁的「電腦如何影響隱私？」的段落內容，和全班討論電腦如何對每個人的隱私產生影響。參考同一頁上的表列內容，並鼓勵學生從自己的經驗中舉出一些實例。請全班回答第 71 頁的「你的看法如何？」當中的問題，和學生討論他們的答案。

## 三、閱讀與討論

### 科技如何影響醫療的隱私？

讓全班閱讀課本第 72 頁的「科技如何影響醫療的隱私？」的段落內容，此處選錄的短文，內容描述對於醫療資訊隱私議題的關切，其中說明了醫療保險制度，以及建立國民健保卡制度的某些益處與代價。向全班同學說明，這段閱讀內容主要是讓大家針對這個隱私議題，事先為立法聽證會中的角色扮演預作準備。

## 四、批判思考練習

### 運用思考工具進行評估，採取立場，並爲其辯護

第 72 頁的批判性思考練習「運用思考工具進行評量，採取立場，並為其辯護」，可以全班一起進行，也可以分成小組，或者兩人一組。完成後再和全班一起複習本手冊第 138 頁或學生課本第 69 頁上的「隱私議題的思考工具表」當中五步驟程序的前四個步驟。請學生在另外一張紙上，或者另外發給他們思考表格，寫上前四個問題的答案，並請學生和全班同學分享自己的答案。第五個步驟 —— 採取立場，並為其辯護 —— 將在下一個練習中完成。

## 五、批判思考練習

### 針對國民健保卡進行評估，採取立場，並爲其辯護

課本第 74-75 頁的批判思考練習「針對國民健保卡進行評量，採取立場，並為其辯護」，是前一個練習的延伸。

步驟五：把模擬國會聽證會中的五種不同角色，呈現在黑板上：

1. 聯合支持醫療保健制度的醫師
2. 強調醫療效率的民眾
3. 隱私委員會的民眾
4. 聯合反對政府一意孤行的民眾
5. 眾院資訊次委員會

請全班閱讀課本上的練習內容。和全班一起檢閱這五種角色，以及國會聽證會的參與說明。保留足夠的時間，讓各組能進行討論，並針對自己的立場進行準備。鼓勵學生運用在前一個練習的四個步驟中蒐集得來的資訊，準備自己的角色扮演。

本手冊的第 19-21 頁上，有針對立法聽證會角色扮演的詳細敘述與說明。

**非必備的教學練習：**你可以邀請社區中的資源人士，例如政府單位的官員或州議員，到教室來協助學生準備自己的論點，以便在模擬立法聽證會中進行角色扮演。當然也可以請這些社區內的資源人士參與扮演眾院資訊次委員會的成員，聽取各方的說法，並在接下來的活動中，協助全班同學進行討論。

## 六、本課總結

聽證會接近尾聲時，請全班同學投票表決，支持或反對設立國民健保卡的提案。請學生說明，為何他們針對這個有關隱私的議題，採取了不同的立場。你也可以請學生把他們針對這個隱私議題所採取的立場，簡短記錄在學習筆記裡。

請學生回顧課本第 70 頁的本課目標，並請學生自我評量做到了多少。

### 課後練習

課本第 75 頁「學以致用」當中建議的活動，設計的目的在於加強或延伸學生在本課中學到的，運用思考工具來評估隱私議題的不同立場，同時採取立場，並為其辯護。你可以讓學生單獨完成這些活動，鼓勵學生運用五步驟程序，以評估隱私議題的不同立場，進而採取立場，並加以捍衛。

**教師參考內容**

希波克拉提斯（約前 460 年至約前 370 年），是古希臘伯里克利時代的醫師，被後世普遍認為是醫學史上傑出人物之一。在其所身處的上古時代，醫學並不發達，然而卻能將醫學發展成為專業學科，使之與巫術及哲學分離，對古希臘的醫學發展貢獻良多，故今人多尊稱為「醫學之父」。他所訂立的醫師誓言，被奉為後世醫師的道德綱領。

## 第十二課：人們對於自己的身體應該擁有什麼樣的隱私權？

### 課程概述

本課提供另一個機會，讓學生延伸這些能力：分析隱私的衝突，評估各種可能的行動方案，針對某個特定的情況加以決定隱私的範圍與限制。本課選錄的閱讀文章，內容探討個人身體隱私權與其他社會利益有所衝突時的相關問題。批判思考練習活動則讓學生扮演國會聽證會中的各個角色，討論個人是否有權拒絕維生系統的醫療照顧的問題。

### 課程目標

上完本課以後，學生應該要能做到下列事項：

1. 評估醫療科技之相關隱私議題的不同立場
2. 針對醫療科技之相關隱私議題，採取立場，並為其辯護

## 課前準備／教材範圍

課本第 76-81 頁

## 教學程序

### 一、本課介紹

讓學生看課本第 77 頁與第 80 頁中的圖片，並回答下方的問題：「你認為人們對自己的身體，是否享有特別強烈的隱私權？」，「在病人的隱私權與社會和醫界關心的焦點之間，你要如何取得平衡？」

請全班閱讀課本第 76 頁的「本課目標」，教師同時把「關鍵詞彙」呈現在黑板上。

### 二、批判思考練習

#### 檢視隱私和身體尊嚴（bodily integrity）

請全班閱讀課本第 76-78 頁的批判思考練習「檢視隱私和身體尊嚴」的內容。此處選錄的四段內容，描述醫療程序會侵犯個人隱私權的狀況，例如規定施打疫苗以預防傳染病，運用相關器材以取出某種物質，運用外科手術取出子彈以作為犯罪證據，以及插入鼻胃管餵食，以便讓命在旦夕的病人能夠延續生命。在學生開始閱讀之前，先複習第 78 頁「你的看法如何？」當中的問題，保留足夠的時間，讓學生可以閱讀這四段內容，並且回答這些問題。你可以讓學生分組進行，同時指定每個小組閱讀與分析不同的段落。等學生完成這些練習以後，請他們和全班同學分享自己的答案。

請全班同學閱讀課本第 79 頁「就身體隱私而言，什麼才是合理的法律限制？」，作為這部分的小結。

### 三、批判思考練習

#### 評估身體尊嚴，採取立場，並加以辯護

把模擬立法聽證會中的五個角色呈現在黑板上：

1. 支持醫療倫理的醫師
2. 健康保險協會
3. 關切此事的宗教領袖聯盟
4. 年長者的支持者
5. 維生醫療委員會

請全班同學閱讀課本第 79-80 頁批判思考練習「評估身體尊嚴，採取立場，並加以辯護」的內容，和全班同學一起複習聽證會中的五個角色，以及國會聽證會的參與說明。學生應了解這個聽證會的目的，在於討論個人是否有自由完全拒絕以維持生命為目的的醫療照顧？如果有的話，又是在什麼樣的情況下？這個聽證會就是為了向議員說明他們推薦的解決辦法。把全班同學分成五組，分別扮演上述的五個角色，保留足夠的時間讓小組成員進行討論，準備自己針對這個議題所採取的立場。你可以發給每個學生一張本手冊第 138 頁或學生課本第 69 頁上的「隱私議題的思考工具表」，以協助他們進行準備。

等學生準備完成以後，就開始進行立法聽證會。本手冊的第 19-21 頁有針對國會聽證會角色扮演的詳細敘述與說明。

**非必備的教學練習：**你可以邀請社區中的資源人士，例如政府單位的官員或州議員，到教室來協助學生準備自己的論點，以便在模擬國會聽證會中進行角色扮演。當然也可以請這些社區內的資源人士參與扮演醫療委員會的成員，聽取各方的說法，並在接下來的活動中，協助全班同學進行討論。

## 四、本課總結

聽證會接近尾聲時，請委員會成員宣布他們推薦的解決辦法，並請他們說明支持這類想法的背後思維。請全班同學回答下列問題，藉以評量委員會所推薦的解決辦法：

1. 這些推薦辦法是否能維護個人在隱私與身體尊嚴上的利益？
2. 這些推薦辦法是否能維護社會在維護性命、維護醫療專業倫理，以及確保拒絕接受醫療之決定並未受到不當壓力等方面的利益？
3. 這些推薦辦法是否包括適當的準則與規定，可以解決目前與未來有關隱私與身體尊嚴的衝突？
4. 這些推薦辦法是否能以對各方而言都算公平的原則，來處理這個議題？

請學生回顧課本第 76 頁的本課目標，並請學生自我評量做到了多少。

### 課後練習

課本第 81 頁「學以致用」當中建議的活動，設計的目的在於加強或延伸學生在本課中學到的，運用思考工具來評量有關隱私議題的不同立場，採取立場，並為其辯護。你可以讓學生單獨完成這些活動，鼓勵學生運用五個步驟程序，評估隱私議題的不同立場，進而採取立場，並為其辯護。

## 第十三課：我們應該如何解決隱私與新聞自由的衝突？

### 課程概述

本課是隱私課程的最後一課。本課讓學生有機會擬定一項政策，針對記者於新聞採訪時，對於隱藏式攝影機與麥克風的使用。選錄的文章「布里斯科訴讀者文摘協會案（Briscoe v. Reader's Digest Association）」，描述馬文・布里斯科因偷竊而服刑期滿多年之後，《讀者文摘》期刊揭露了他的隱私。在批判思考練習中，全班學生將訂定一些準則，讓新聞記者在調查採訪時可資遵循。

### 課程目標

上完本課以後，學生應該要能做到下列事項：

1. 評估隱私議題的不同立場
2. 說明訂定政策，用來處理一個可能一再重複出現的隱私議題，有其實用性

## 課前準備／教材範圍

課本第 82-87 頁

思考工具表和麥克筆

非必備的教材：發給每個學生一張本手冊第 138 頁或學生課本第 69 頁上的「隱私議題的思考工具表」。

## 教學程序

### 一、本課簡介

請全班同學閱讀課本第 86 頁的「本課目標」，教師同時把「關鍵詞彙」呈現在黑板上。

### 二、閱讀與討論

#### 新聞媒體應尊重哪些隱私界限？

讓全班閱讀課本第 82-83 頁的「新聞媒體應尊重哪些隱私界限？」。請大家看第 83 頁上的插圖，並請大家回答插圖下方的問題：「你認為有沒有一些人或事，是記者與媒體不該報導的？」

### 三、批判思考練習

#### 檢驗媒體對隱私的侵犯

請全班同學閱讀課本第 84 頁的批判思考練習「檢驗媒體對隱私的侵犯」的內容。此篇選文描述期刊《讀者文摘》刊登了一篇文章，內容提及 Marvin 布里斯科過去所犯下的一件罪行，而他早已服刑期滿，出獄多年。由於這篇文章的出現，布里斯科十一歲的女兒才知道父親的過去。

學生閱讀完畢以後，請他們摘述此案情的事實內容，並且把答案記錄在「隱私議題的思考工具表」，即本手冊第 138 頁或學生課本第 69 頁的表格複本。

## 四、批判思考練習

### 爲記者確立新聞報導準則

和全班一起閱讀課本第 85-86 頁批判思考練習「為記者確立新聞準則」的活動說明。在學生閱讀這個段落時，教師同時把以下角色呈現在黑板上：

1. 新聞協會
2. 廣播娛樂集團
3. 主張保護隱私的公民團體
4. 新聞自由基金會
5. 主張涵養與尊嚴的公民團體

和全班同學一起檢閱這項政策要處理的兩個問題：

1. 新聞記者對採訪對象所採取的調查手段，應該受到什麼樣的限制？
2. 新聞記者選擇調查與報導的主題，應該受到什麼樣的限制？

把全班學生按照各角色，分成五組。保留足夠的時間，讓各組能討論並準備自己的立場。教師可以請各組成員在發表自己的看法之前，先把討論內容記錄在思考工具表上，運用「圓桌論壇」的討論模式 —— 每組提出自己的看法，同時回答其他組別提出的問題 —— 讓每組向全班同學提出報告。然後請全班同學針對哪些建議準則應該作為規範新聞記者的政策內容，達成共識。

**非必備的教學練習：**你也可以讓學生評估其參與研擬學校政策所曾經歷的過程。請學生回答下列問題如果運用在校園記者身上，應該有什麼樣的答案？

1. 參與制定學校政策，可能有哪些益處？
2. 參與制定學校政策，可能有哪些壞處？
3. 未來可以採取什麼樣的措施，將益處發揮到極致，而把壞處減到最少？
4. 培養公民制定政策的技巧，為何重要？

## 五、本課總結

全班達成共識以後，請他們評量自己所制定的政策。請學生回頭看自己填寫的思考工具表，並回答下列問題：

1. 這項政策是否能讓記者取得有效完成工作所需的資訊？
2. 這項政策是否能讓其他有知的需求的人，取得所需的資訊？
3. 這項政策是否能確定，更生人的隱私權，能夠受到適當保護？
4. 這項政策是否能確立適當的準則或規定，解決目前與未來的這類的隱私議題？
5. 這項政策是否能以對各方而言都算公平的原則，來處理這類的隱私衝突？

請學生回顧課本第 82 頁的「本課目標」，並請學生自我評量做到了多少。

本課是第四單元的最後一課。請學生在學習日誌摘要記錄自己所學到的內容，包括何時是保護隱私的公平合理的時機，何時又該犧牲隱私權，以維護其他更重要的利益與價值觀。同時請學生評估運用思考工具來分析隱私議題，並進一步採取立場、加以捍衛其實用性。

## 課後練習

課本第 86 頁「學以致用」當中建議的活動，設計的目的在於加強或延伸學生在本課中學到的，制定政策以處理可能一再重複出現的隱私議題。你可以讓學生單獨完成這些活動。

## 結束隱私課程

隱私的課程到此正式結束。你和學生可以回顧「民主基礎系列課程」，針對整個學習經驗 —— 包括課程內容與學習方法等 —— 加以評量，相信一定可以帶給你們很大的收穫。發給每個學生一份本手冊第 39 頁的「學習經驗回顧」。提醒學生，他們不但應該回顧及評量自己本身的經驗，也應該回顧及評量全班的經驗。請學生和全班同學分享自己的答案。

# 責任課程

## 責任課程簡介

本課程概述責任觀點，其不僅是民主社會所具有的概念，也是社會本身固有的概念。假使個體無法承擔或盡到個人的責任，而這項責任又無可取代，那麼社會這個實體便不再存在；所剩的只是一群烏合之眾而已。而另一方面，若個人不對自己的行為負責，而將這份責任交由他人承擔，便等於默認了一般人不能或不應掌控自己的命運，因此也表示個人失去自由。

基於上述背景知識，本課程的目的，在於讓學生逐步體認責任在自己生活中以及在當代社會中的重要性，並提升他們的能力與想法，讓他們能有效而明智地處理責任問題。

請先看學生課本第 2 頁中的圖片，要求學生回答圖片說明中的問題：「圖中是美國最高法院門前的雕像，象徵政府立法與執法的責任。若政府未履行這項責任，會發生什麼事？」

請全班同學閱讀課本第 2 頁的簡介，然後與全班討論美國憲法前言指定美國政府所應承擔的責任。請學生舉例，說明美國政府如何盡到這些責任。假如政府未能盡責，會有何結果？也請班上同學舉例說明公民的責任。這些責任來自何處？如果公民未能盡責，又會有何種結果？有哪些措施可確保政府與公民都能各自盡責？

## 第一單元：何謂責任？

### ➡ 介紹第一單元

本單元的目標，在於幫助學生了解責任對社會與個人的重要性。學生也會了解責任的各種來源，以及社會中各種不同的盡責方式。本單元會向學生介紹責任的實際定義，亦即，**責任是做某事或不做某事的本分或義務**。

請先看學生課本第 3 頁中的圖片，要求學生回答圖片說明中的問題：「圖片顯示哪些責任？」最後在總結討論時，請學生說明了解責任的重要性。

請全班同學閱讀課本第 3 頁的單元目標，並與全班討論約翰・多恩（John Donne）的詩句摘錄裡，包含了哪些有關責任的觀點。請學生舉出三件他們希望從第一單元中學到的事情，或提出三個在上這個單元時想了解的問題。若學生在上本課程時有寫學習日誌，可記下他們提出的事情或問題，並在本單元課程結束時回頭檢閱這些紀錄。在課程進入第二、三、四單元時，亦可重複上述活動。

## 第一課：何謂責任？責任的來源？

### 課程概述

本課介紹責任的概念以及在日常生活中的重要性。學生從課文中明白責任包括了做某事與不做某事的本分或義務，也知道責任有多種來源，包括教養、承諾、指派、任命、職業、法律、習俗、公民原則與道德原則。這些責任可能由個人自願承擔、由他人加諸或是在不自覺的情況下承擔。學生也從本課學到，盡責或不盡責可能會帶來正面或負面的結果。在做批判思考練習時，請學生閱讀美國煙草盛產州的參議員所面臨的責任問題，並加以討論、分析該問題，辨明責任、盡責對象、責任來源，以及盡責或不盡責所可能得到的獎勵或懲罰。

### 課程目標

教完本課後，學生應能：

1. 解釋「責任」一詞
2. 分辨各種責任實例
3. 了解這些責任的來源並加以說明
4. 了解通常盡責與不盡責所分別獲得的獎勵與懲罰，並能加以說明

## 課前準備／教材範圍

學生課本第 4-9 頁。

## 教學程序

### 一、本課介紹

請學生列舉五項自己最常擔負的責任，並要他們指出：

- 盡到這些責任所可能得到的獎勵
- 未盡到這些責任可能受到的懲罰
- 每一項責任的來源批判思考練習
- 請學生說明自己盡責或未盡責會對他人所造成的影響。
- 請學生列舉五項其他人對自己應盡的責任，並要他們說明他人未盡責時可能對自己造成的影響。

老師在黑板上呈現關鍵詞彙時，請全班同學閱讀課本第 4 頁的本課目標。

### 二、閱讀與討論

#### 判斷史密斯參議員的責任

請學生做課本第 4-5 頁的批判思考練習「批判史密斯參議員的責任」，可獨立作答或和同學一起討論。短文「要不要禁？」談的是美國國會一項議案，商討是否應規定公共場所禁止吸菸，史密斯所代表的州以菸草工業為經濟命脈。請學生說明他們認為立法人員的責任為何，並幫助他們了解立法人員有責任代表選民的利益與全民福祉。討論課本第 5 頁「你的看法如何？」單元裡的問題。在學生作答完畢後，請他們將答案念給全班同學聽，並請老師在黑板上寫下學生的答案。

**選擇性教學練習**。請班上同學分飾史密斯參議員與其選民，舉行一場模擬社區會議。老師可參考本手冊第 30-32 頁，了解舉行市政大會（town meeting）詳細方法。請老師向學生說明，史密斯參議員不久後便須決定是否要支持公共場所禁止吸煙的議案。史密斯參議員為了對她的代表州以及對國家負責，她希望能先了解市民對於這項議案的看法，因此，召開了一場公共會議。

請老師將全班分為五組：

- 史密斯參議員及其幕僚
- 菸草種植職業工會
- 支持不受政府干預的市民
- 支持無菸害環境的市民
- 支持改善健康與安全的市民

請讓各組學生有充裕時間做好準備。代表史密斯參議員的小組在上臺報告時，應備妥詢問各小組的問題。在模擬會議開始時，史密斯應介紹其幕僚，說明召開會議的目的，而後各組利用二、三分鐘做開場白，概述其對此議案所抱持的立場，接著各組應回答史密斯參議員及其幕僚所提出的問題。

在會議最後，史密斯及其幕僚應討論各組看法，並向全班說明他們對此提案將採取何種立場。

請與全班討論，他們認為哪一組的論點最支持公共場所禁止吸菸，哪一組又最表示反對。在選民的需求與國會議員的信念相衝突時，結果會如何？而當選民需求與全民福祉衝突時，又會如何？在這種情況中，史密斯參議員應負起何種責任？

## 三、批判思考練習

### 何謂責任？

請全班看課本第 6 頁的「何謂責任？」。幫助學生了解本課程所定義的責任。請學生根據自己的經驗，舉例說明做某事以及不做某事的責任或義務；也請他們辨別盡責所能獲得的某些獎賞與利益，以及未盡責所可能遭受的懲罰。

鼓勵學生思考缺少責任的世界會是何種情形？假使無人願意承擔責任

或對他人履行責任，那麼在家庭、學校和社區中的生活會變得如何？

## 四、閱讀與討論

### 責任的來源

請同學注意課本第 7 頁與第 8 頁的圖片與說明文字，討論「宗教的責任和傳統是如何世代相傳？」以及「美國駐外大使對駐在國有何種責任？這些責任的來源為何？」兩個問題。請全班閱讀課本第 6-9 頁的「責任的來源？」單元，並由老師在黑板上寫下以下詞語：

- **教養** upbringing
- **承諾** promises
- **指派** assignment
- **任命** appointment
- **職業** occupation
- **法律** law
- **習俗** custom
- **公民原則** civic principles
- **道德原則** moral principles

請學生解釋以上各項常見的責任來源，並從說明各項來源的文章段落中舉出實例。請老師幫助學生了解，一旦做了承諾，就有義務信守諾言，承諾的形式可能是合約或法律協議，一旦某人做了承諾，就表示這個人同意盡義務。

請老師與全班討論人們承擔責任的過程與理由，並幫助學生了解，人們承擔責任的原因可能是出於自願，例如，因承諾而具有責任；受他人要求，如接受指派和遵守法律規定；在別無選擇的情況下擔負責任，例如：遵照習俗規定；也可能同時因自願與受他人要求，或在不自覺的情況下承擔責任，例如：任命、職業、公民原則和道德原則。

## 五、課程總結

請學生畫圖說明其他人對自己所具有的責任，並請他們解釋：1. 該項責任的來源；2. 這項責任是由他人自願承擔、受人要求而承擔或是在不自覺的情況下所承擔；以及 3. 該項責任可能帶來什麼獎勵或懲罰。請學生向全班說明自己的圖片。

### 課後練習

學生課本第 9 頁課後活動單元中所列的「學以致用」活動，用意在於加強或拓展學生於本課所學的知識，使他們更能判別責任來源，了解人們承擔責任的原因。老師可要求學生以獨立或分組的方式來完成這些活動，並請他們向全班報告自己的活動成果。

## 第二課：如何檢視責任的問題？

### 課程概述

本課主要在幫助學生於特定情境中，運用所學的責任相關知識。在本課中，學生會探討數個特定情況中的責任問題，包括：憲法增修條文第 4 條、杜魯門（Truman）總統下令使用原子彈、牧師馬丁•尼莫拉（Martin Niemoeller 作品摘錄、希波克拉提斯宣言（the Hippocratic oath），以及 1964 年《民權法案》（the Civil Rights Act of 1964）中所牽涉的責任問題。此外，課文中也會介紹：當我們在檢視責任問題時，所需使用的一套程序或思考工具。

### 課程目標

教完本課後，學生應能：

- 判別和說明特定情況中責任的來源
- 在不同情況中運用檢視責任的思考工具

### 課前準備／教材範圍

學生課本第 10-18 頁

請將本手冊第 159 頁中的「責任學習單」影印發給每位同學
請準備報紙和／或新聞雜誌發給全班

## 教學程序

### 一、本課介紹

老師在黑板上呈現關鍵詞彙時，請全班同學閱讀課本第 10 頁中的本課目標。

### 二、閱讀與討論

#### 如何檢視責任？

請全班學生閱讀課本第 10 頁「如何檢視責任？」，並與他們討論在做有關責任的決定時，思考工具所具有的效用與助益。老師可參考本手冊第 7-8 頁，以更詳盡了解思考工具。請與全班一起討論本單元所列檢視責任問題的思考工具。

### 三、閱讀與討論

#### 公共集會自由發言權，所伴隨而來的責任

請全班看課本第 12 頁中的圖片，並要求他們回答圖片說明中的問題「你參加鎮民大會時，身負何種責任？」請全班同學閱讀課本第 12-13 頁「公共集會自由發言權，所伴隨而來的責任」，並討論第 13 頁「你的看法如何？」的問題。在學生結束閱讀與討論活動後，請他們向全班報告自己的心得。

### 四、批判思考練習

#### 確認責任

在開始課本第 14-17 頁「確認責任」練習活動之前，請將全班分成五組，指定各組負責各篇短文，包括：憲法增修條文第 4 條、杜魯門總統下令使用原子彈、牧師馬丁•尼莫拉作品的摘錄、希波克拉提斯宣言，以及

1964 年《民權法案》。學生必須判斷文中所牽涉的責任，每篇短文中的責任問題皆不相同。

請將學生課本第 18 頁與本手冊第 159 頁的「責任學習單」發給每位同學，閱讀活動說明，並和學生一起做練習活動，再與全班討論表中所列的問題。請讓學生有充裕時間做完練習，然後請他們向全班報告活動心得。

## 五、課程總結

將報紙和／或新聞雜誌發給全班同學。要求他們找出有關人們盡責或未盡責的報導，並請他們判別其中牽涉的責任、盡責的對象、責任的來源，以及盡責的獎勵與不盡責的懲罰。請同學向全班報告自己所找到的文章。

請全班回頭重看課本第 10 頁的本課目標，並說明自己達到幾項目標。

本課為第一單元的總結。請學生在學習日誌中寫一篇摘要，說明自己對責任的認識以及對責任來源、承擔責任的原因、盡責的獎勵與不盡責的懲罰的了解。也可在日誌中寫下自己對責任仍存有的疑問，以及／或想探討的責任問題。

## 課後練習

學生課本第 17 頁「學以致用」所列的活動，用意在於加強或拓展學生於本課所學的知識，使他們更能判斷責任的來源、了解人們承擔責任的原因，以及盡責的獎勵與不盡責的懲罰。鼓勵學生在做這些活動時，運用「責任學習單」。老師可要求學生以獨立或分組的方式完成這些活動，並請他們向全班報告自己的活動成果。

| 責任學習單 | |
|---|---|
| 問題 | 答案 |
| 1. 在前文所指定的文章裡，包含了哪些責任？ | |
| 2. 誰應該承擔這些責任？ | |
| 3. 應該對誰負責？ | |
| 4. 責任的來源為何？ | |
| 5. 盡責可能獲得哪些獎賞？ | |
| 6. 不盡責可能會受到哪些懲罰？ | |

## 第二單元：履行責任的益處與代價為何？

### 介紹第二單元

請老師向全班說明，履行責任通常會牽涉益處（利）與代價（弊）。在判斷是否承擔某項責任，或決定以哪項責任為優先時，必須考慮這些益處與代價。

請學生看課本第 19 頁的圖片，並要求他們回答說明文字中的問題：「圖片顯示哪些履行責任的益處與代價？」請老師在黑板上寫下學生的答案。

請全班閱讀課本第 19 頁的單元目標。幫助學生了解益處和代價意指利與弊，也讓他們明白為何必須了解盡責的益處與代價。請學生舉出兩件他們希望從第二單元學到的事情。如果學生在學習本課程時，有寫學習日誌，可請他們在日誌中寫下自己舉出的事情。

### 第三課：承擔責任會有什麼結果？

#### 課程概述

本課教導學生去分辨在特定情況中，履行責任會帶來哪些結果。學生將學會區分這些結果是益處或是代價。在批判思考練習中，學生要分析許多情境，了解在這些情境中盡責的結果，並辨別哪些結果是益處，哪些是代價。

## 課程目標

教完本課後，學生應能：

- 判斷特定情境中履行責任的結果
- 分辨哪些結果是益處，哪些是代價
- 說明一些盡責最常見的益處與代價

## 課前準備／教材範圍

學生課本第 20-25 頁

請學生準備好課本第 21 頁中的「結果／益處或代價」表格，並發給他們本教師手冊第 163 頁中的「承擔責任的益處與代價」思考工具表。

## 教學程序

### 一、本課介紹

請學生舉出某些責任，他們可能對這些責任感興趣，但又不確定自己是否真的想擔負這些責任，例如，課後打工或答應照顧年老的親戚。請老師在黑板上寫下幾個同學的回答，要求學生說明每一項回答中的責任，以及盡責可能帶來的結果。請學生思考一下，這些結果是利還是弊。

請學生看本課第 24 頁的圖片。給他們一些時間討論，之後請他們回答圖片說明中的問題：「馬丁 • 路德 • 金恩博士 是 1960 年代著名的民權運動領袖，在爭取民權的活動中肩負重責大任。盡到這些責任的益處與代價為何？」

老師在黑板上呈現關鍵詞彙時，請學生閱讀課本第 20 頁的本課目標。

## 二、批判思考練習

### 辨別哪些結果是益處？哪些是代價？

請全班閱讀課本第 20 頁「辨別哪些結果是益處，哪些是代價」。短文故事「瑟琳娜該怎麼做？」談的是學生調解人所應擔負的責任。故事中，校長請瑟琳娜擔任校園防暴計劃中的調解人。在學生看完故事後，請學生判斷瑟琳娜接受或回絕這份工作所帶來的結果。接著請學生填妥課本第 21 頁的「益處與代價」思考工具表。

討論課本第 22 頁「你的看法如何？」的問題。在學生作答完畢後，請他們向全班報告自己的答案。

## 三、批判思考練習

### 說明益處與代價

請老師與全班一起閱讀課本第 22 頁的指示，接著進行批判思考練習活動「說明益處和代價」。請學生分成小組或和研究同伴一起做練習。

討論課文中的「益處」段落。請老師在黑板上抄錄以下詞語：

- 可預測性 Predictability
- 安全感 Security
- 效率 Efficiency
- 合作 Cooperation
- 公平 Fairness
- 團隊精神 Community Spirit
- 個人回饋 Individual Rewards

請學生分辨以上詞語，並依據自己的經驗，舉例說明各項詞語。

討論課文中的「代價」段落。請老師在黑板上抄錄以下詞語：

- 負擔 Burdens
- 憎惡 Resentment
- 害怕失敗 Fear of Failure

- 犧牲其他的利益 Sacrifice of Other Interests
- 造成他人不肯負責 Abdication of Responsibility of Others

請學生分辨以上詞語，並依據自己的經驗，舉例說明各項詞語。

## 四、批判思考練習

### 評估益處與代價

在展開課本第 24-25 頁「評估益處與代價」的批判思考練習活動前，請將全班分成七組，各組同學分別負責練習中所列的一項情境。開始練習前，請先和全班一起閱讀課本中的活動說明，活動後請討論課本第 25 頁「你的看法如何？」的問題。

請老師將本手冊第 163 頁中的「承擔責任的益處與代價」思考工具表發給每位同學。在學生完成表格後，請他們向全班報告自己的答案。

## 五、本課總結

請回頭看課本第 24 頁的圖片。學生之前已回答圖片說明中的問題，現在請老師詢問學生是否改變心意，並在黑板上寫下學生的回答。請學生判斷，這些結果中，哪些

- 對他人有利
- 對盡責的人有利
- 對盡責的人而言是代價

請全班回顧課本第 20 頁的本課目標，說明自己達到了幾項目標。

## 課後練習

學生課本第 25 頁「學以致用」所列的活動，用意在於加強或拓展學生於本課所學的知識，使他們更能判斷盡責的益處與代價。老師可要求學生以獨立或分組的方式來完成這些活動，並請他們向全班報告自己的活動成果。

| 承擔責任的益處與代價 | |
|---|---|
| ■ 誰應負責？ | |
| ■ 這些責任為何？ | |
| ■ 盡責的結果為何？ | |
| ■ 哪些結果是益處？ | |
| ■ 哪些結果是代價？ | |

## 第四課：如何評估承擔責任的益處與代價？

### 課程概述

本課讓學生進一步練習判斷盡責的結果，分辨哪些結果是益處或是代價。在本課活動中，全班將透過市議會的角色扮演，舉行一場模擬公聽會，決定吉柏森市是否應負起發展並維持太陽能發電計畫的責任。

### 課程目標

教完本課後，學生應能：

- 辨別要發展且維持太陽能發電計畫所應負起的責任
- 分辨哪些結果是益處或是代價
- 說明有關益處與代價之相對重要性的各種看法

### 課前準備／教材範圍

學生課本第 26-31 頁

**彈性選項：**邀請社區資源人士，譬如市長或市議員，來課堂上。

### 教學程序

#### 一、本課介紹

請看課本第 27 頁的圖片，要求學生回答圖片說明中的問題：「如何評估將建築改為太陽能發電的益處與代價？」

老師在黑板上呈現關鍵詞彙時，請全班閱讀課本第 26 頁的本課目標。

## 二、批判思考練習

### 針對太陽能的議題，評估、選擇及維護你的立場

本課的批判思考練習，是市議會的角色扮演活動，並提供參加公聽會的必要背景資訊。請全班閱讀課本第 26-28 頁「針對太陽能的議題，評估、選擇及維護你的立場」。在短文「太陽能計畫」中，市長提議接受聯邦政府的部分補助，購買和裝設太陽能發電裝置，以供應市內公共建築的暖氣和空調系統。文中探討市長提案的種種可能結果。

請與全班同學一起討論以下問題：

■ 吉柏森市考慮承擔哪些責任？

學生應了解，發展與維持太陽能發電計畫會帶來許多責任，而吉柏森市就是在考慮是否要負起這些責任。

■ 承擔這些責任之後，可能會有什麼結果？

學生應能區別和推測負責任的種種結果，包括：

(1) 吉柏森市必須負擔一大筆費用
(2) 為實行該計畫，當地稅金勢必要提高
(3) 聯邦政府將負擔該計畫的一半成本
(4) 基於當地氣候，舊式的暖氣與空調系統仍無法完全淘汰
(5) 運用太陽能比使用煤、天然氣或核能發電更安全，對環境的污染也較少
(6) 這項計畫能在社區中創造新的工作機會
(7) 太陽能發電系統的運轉成本較低，最後甚至能為納稅人提供一小筆補償

■ 哪些結果是益處？哪些是代價？

學生應能區分各項結果，分辨哪些是益處，哪些是代價。此外，也應說明自己做此區分的理由。

- 根據小組的看法，哪些益處或代價最為重要？

請幫助學生了解相對重要性的觀點，也讓他們理解，在特定情況中，人們對於盡責之益處和代價的相對重要性，為何會有不同的看法？

## 三、批判思考練習（續篇）

### 公聽會的前置作業

請老師在黑板上寫下出席市議會公聽會的代表團體：

- 市議會
- 市府工程處
- 替代能源永續保護與使用聯盟
- 納稅人聯盟
- 商會

請全班閱讀課本第 29-30 頁的「公聽會的前置作業」。請老師和全班同學一起檢閱操作說明，並確定學生了解這項活動的參與程序。

在準備活動時，請老師和全班一起討論課本第 29 頁中的六個問題，並檢閱第 28 頁公聽會的議事程序。

將全班分為五組，分飾五種團體角色。請學生閱讀課本第 29-30 頁有關自己所代表的團體介紹。讓各組同學有充裕時間回答問題，準備報告內容。

老師可補充以下小組資料：

**第二組：市府工程處**

太陽能發電計畫的好處：1. 長遠來看，太陽能發電能替納稅人省錢；2. 太陽能發電毋須燃煤或石油，有助於環保；3. 太陽能發電毋須燃煤或石油，可將這些稀有資源用於其他用途。

太陽能發電計畫的代價：1. 市府工程處必須投入大部分的時間與精力在這項計畫中，因此也較無時間執行其他值得做的計畫；2. 未來該區天氣型態若有轉變，會導致太陽能發電系統失效，或使該系統的運轉成本比目前的發電系統更高。

**第三組：替代能源永續保護與使用聯盟**

太陽能發電計畫的好處：1. 使用太陽能比燃煤、天然氣或核能安全，對環境的污染亦較低；2. 對煤、天然氣、石油的需求減少，能降低美國對這些國外進口資源的依賴程度；3. 若公共建築成功改變其電力來源，可提高私人企業、工業和家庭使用太陽能的比率。

太陽能發電計畫的代價：1. 為裝設太陽能發電裝置，可能必須提高稅金；；2. 由於這項計畫仍處於實驗階段，因此可能會面臨特殊問題，例如，要確定設備安裝得當，索價是否合理。

**第四組：納稅人聯盟**

太陽能發電計畫的代價：1. 這項計畫會加重納稅人原已沉重的負擔；2. 稅收似乎更應該運用在其他方面，如醫療、學校、警力、消防和其他市府部門；3. 相較於該區的用電總量，將公共建築改為部分太陽能發電，所省下的資源根本微不足道。

**第五組：商會**

太陽能發電計畫的好處：1. 裝設太陽能發電系統需要 1,200 萬元的支出，可創造新的就業機會；2. 該區的新就業機會能增加商品、服務和娛樂方面的消費，對當地經濟大有助益；3. 該區的消費支出增加，表示市政府的稅收也會跟著增加。

在舉行市議會的公聽會之前，請和全班同學一起看課本第 31 頁的「進行公聽會」，檢閱其中所列的公聽會召開程序。有關舉行立法機構聽證會的詳細程序，請參考本手冊第 19-21 頁。

若邀請社區資源人士來課堂上，如市議會代表，可請他／她幫助學生準備報告，和代表市議會的小組一同參加模擬公聽會。此外，也務必請他／她參與總結討論。

## 四、本課總結

在市議會公聽會總結時，請代表市議會的小組向全班宣布其決議，說明他們是否無異議通過市長提議，或稍加修改後通過，還是完全反對。請議會小組成員評斷，哪一組的論點最具說服力。是否要補充其他論點？

請與全班討論，在故事情境中，各組對盡責之益處與代價的相對重要性，抱持何種看法？在判斷是否承擔某項責任時，分析盡責的結果有何幫助？請看第 30 頁中的圖片，並要求學生回答圖片說明中的問題：「你如何運用益處和代價的分析，來贊成或反對某項責任？」

請全班回顧課本第 26 頁的本課目標，並說明自己達到幾項目標。

本課為第二單元總結。請學生在學習日誌中寫一篇摘要，說明自己對於盡責的益處與代價有何了解。

### 課後練習

課本第 31 頁「學以致用」所列的活動，用意在於加強或拓展學生於本課所學的知識，使他們更了解盡責的好處與代價。老師可要求學生以獨立或分組的方式完成這些活動，並請他們向全班報告自己的活動成果。

## 第三單元：如何選擇無法同時兼顧的責任？

### 介紹第三單元

提醒學生，人們常常會面臨無法兼顧的責任。許多時候，我們必須做合理的判斷，決定自己應承擔哪些責任，追求哪些價值觀與利益。

請向全班說明，本單元的目標在於加強學生的能力，讓他們在無法兼顧的責任、價值觀和利益時，能做出有系統且周延的決定，並能評估其他人所做的決定。學生經由本單元，將學會一套程序或所謂思考工具，有助於他們做判斷。第一套思考工具已在第一單元習得，第二單元學習了辨別責任及其來源，盡責的獎勵，不盡責的懲罰，以及盡責可能的益處與代價。

接著學生將學習其他考量，用來幫助他們在無法兼顧的責任、利益與價值觀之間，做出決定。這些考量包括：

- **緊急的程度 Urgency**

- **相對重要性** Relative Importance
- **所需的時間** Time Required
- **可得的資源** Resources Available
- **無法兼顧的利益和價值** Competing Interests and Values
- **替代的方案或妥協** Alternative Solutions

在考慮這些因素之後，學生能夠在面對無法兼顧的責任、利益與價值觀時，加以取捨，並能決定及解釋自己的立場，說明自己的看法。

請全班看學生課本第 33 頁的圖片。讓學生判斷圖片中所顯示的是何項責任，並請他們回答圖片說明中的問題：「在你難以同時兼顧對自己、家庭和整個社會的責任時，必須分配時間以盡到這些責任，此時哪些考量是重要的？」

請全班閱讀課本第 33 頁的單元目標。由學生舉出兩件他們希望從第三單元中學到的事情。

## 第五課：責任無法兼顧時，哪些考量有助於做決定？

### 課程概述

本課介紹幾項考量因素，幫助學生取捨無法兼顧的責任。這些考量因素是思考程序或思考工具的一部分，有助於分析和評估相衝突的責任、價值觀和利益等議題。學生在做本課的批判思考練習時，必須運用所學的思考工具。練習活動設定了一個假想情境：一位律師有意告發毒梟，卻受這些歹徒威脅，致使她在面對家庭責任與對國家的責任時，必須有所取捨。

### 課程目標

教完本課後，學生應能：

- 說明用於選擇責任、利益和價值觀的幾項考量因素
- 運用思考工具，包括上述的考量因素，分析與評估無法兼顧的責任、價值觀和利益等議題。

■ 針對上述議題做出決定，並說明做此決定的依據

## 課前準備／教材範圍

學生課本第 34-39 頁

將課本第 39 頁「決定責任的思考工具」發給每位學生

## 教學程序

### 一、本課介紹

請學生說明自己曾遭遇承擔過多責任、無法兼顧的情形。在黑板上寫下學生所描述的無法兼顧的責任，並請學生說明自己如何決定盡哪項責任，不盡哪項責任。在這些情況中，是否還有其他選擇？

請老師向學生說明，在某些情況中，兩項或兩項以上的責任是相衝突的，以致於個人無法兼顧所有責任，無論如何都難以同時履行。請學生根據自己的經驗，舉例說明這種責任衝突。

此外，也請老師說明，在其他情況中，責任也可能與其他價值觀和利益發生衝突。請學生解釋利益與價值觀等詞語，並依據課文或自己經驗舉例。請學生根據自己的經驗，舉例說明責任與其他價值觀和利益的衝突。

最後，請老師向學生說明，有時在決定負起何項責任時，可能必須犧牲某項利益或價值觀。有時候一個人可能認為另一項價值觀或利益比較重要，因此決定捨棄某項責任。

請看課本第 35 頁中的圖片，請學生回答圖片說明中的問題：「你是否曾經覺得自己所承擔的責任已超出能力範圍？這時，你如何解決？」

老師在黑板上呈現關鍵詞彙時，請學生閱讀課本第 34 頁的本課目標。

### 二、閱讀與討論

**無法兼顧所有責任時，你如何取捨？**

請老師在黑板上抄錄以下詞語：

- 緊急的程度 Urgency
- 相對重要性 Relative Importance
- 所需的時間 Time Required
- 可得的資源 Resources Available
- 無法兼顧的利益和價值 Competing Interests and Values
- 替代的方案或妥協 Alternative Solutions

請老師向全班說明，實現責任與維護價值觀和利益之間，出現難以抉擇的情況時，以上六個概念有助於做出決定。

請全班閱讀課本第 34-35 頁「無法兼顧責任時，你如何取捨？」。閱讀完畢後，請學生說明各項考量因素。將學生的回答寫在先前抄錄於黑板上的相關詞語旁。請學生區辨每則例子中相衝突的責任。

老師可能希望學生分工合作，共同閱讀和學習課文，可將全班分成六組，指派各組負責課文中所列的一項考量因素。請每一組向全班解釋他們所負責的考量因素，說明文中所舉的例子，區辨例子中所提到的衝突責任，最後再根據自己的經驗，另外舉例。

活動結束後，請老師向學生說明，在許多情況中可能只有二或三項考量因素具有重要性，但他們仍應思考所有因素，以免有所疏漏。

## 三、批判思考練習

### 評估並判斷應盡何種責任？

將全班分組，每組三至五人，進行課本第 36 頁的批判思考練習活動「評估並判斷應盡何種責任」。

在〈毒品、危險與政治責任〉這篇選文中，司法部部長艾萊安娜？岡薩雷斯面臨相衝突的責任；如果她堅持將毒販繩之以法，她的家人便可能遭到毒梟暗殺。

讓學生看插圖和說明：「個人的安危或其他利益，可能會與政治責任產生何種程度的衝突？應如何解決？

請先和全班一起閱讀活動說明再進行練習。活動後請討論課本第 38

頁「你的看法如何？」的問題。將學生課本第 39 頁中的「決定責任的思考工具」影本發給學生。讓學生有充裕時間根據表中各項問題，檢視艾萊安娜•岡薩雷斯的情形，並回答第 38 頁「你的看法如何？」的問題。

**四、本課總結**

在各組完成批判思考練習後，請學生回答「你的看法如何？」的問題，並向全班分享報告自己的答案。鼓勵學生運用思考工具表中的資訊，來支持自己的看法，決定應盡何項責任。本課所介紹的思考程序，可用於取捨相衝突的責任，並請學生評估這套程序的效用。

請學生回顧課本第 34 頁的本課目標，並說明自己達到幾項目標。

### 課後練習

課本第 38 頁「學以致用」的活動，用意在於加強或拓展學生於本課所學的知識，使他們更了解用於取捨相衝突之責任的考量因素和思考程序。老師可要求學生以獨立或分組的方式完成這些活動。在分派這些活動時，可鼓勵學生運用他們在本課所學到的分析責任的分析方法，並請他們向全班分享報告自己的活動成果。

## 第六課：在特定情況下，如何解決衝突的責任？

### 課程概述

本課讓學生練習在特定情況中如何分析與評估相衝突的責任、價值觀和利益。批判思考練習取材自雨果（Victor Hugo）的小說《悲慘世界》（Les Miserables）當中的一幕，故事中的賈維必須決定是否要將尚萬強逮捕入獄。學生在活動中應運用思考工具，來解決此項兩難困境，並提出支持此立場的理由。

### 課程目標

教完本課後，學生應能：

- 運用指定的程序和一些考量因素，去分析和評估某項情況
- 為兩難困境提出解決方法，並為自己所選擇的立場說明理由。

## 課前準備／教材範圍

學生課本第 40-43 頁

請將課本第 39 頁的「決定責任的思考工具」發給每位同學

**彈性選項：**邀請執法人員或律師到班上和學生合作，針對議題提討論出立場和理由。

## 教學程序

### 一、本課介紹

請看學生課本第 42 頁的圖片，要求學生回答圖片說明中的問題：「在法律責任與自己良心所加諸的責任相衝突時，該如何取捨？」

老師在黑板上呈現關鍵詞彙時，請學生閱讀課本第 40 頁的本課目標。

### 二、批判思考練習

#### 誰該負責？—評估、選擇以及維護你的立場

將全班分組，各組約三至五人，或是讓學生兩兩成為研究夥伴，一起進行課本第 40-43 頁的批判思考練習「誰該負責？—評估、選擇以及維護你的立場」。選文〈賈維的兩難困境〉摘錄自雨果的小說《悲慘世界》，描述賈維所面臨的困境。在賈維鍥而不捨的追捕下，逃犯尚萬強終於再次被捕。賈維知道尚萬強是蒙冤入獄，也明白他對自己有救命之恩。在開始練習活動前，請先和全班一起看活動指引，並將課本第 39 頁「決定責任的思考工具」發給每位同學。讓學生有充裕時間做練習。

若邀請執法人員或律師至課堂，則請來賓幫助學生回答「你的看法如何？」當中的問題。作答完畢後，請來賓對於學生如何解決兩難情境，給予回應意見。也可以請來賓跟同學們分享自己曾遇過哪些類似的責任衝

突。

### 三、本課總結

在本課結束時，請學生向全班報告自己填入表中的答案。然後請各組代表報告該組對於「應盡哪一項責任？原因為何？」等問題的看法。鼓勵各組運用他們分析和評估兩難困境後所得的理由，來說明自己的立場。當學生運用思考工具，發展出可以解決責任衝突的方法，並能夠為選定的立場加以捍衛之後，請學生評估這套思考工具的效用。

### 課後練習

課本第 43 頁「學以致用」所列的活動，用意在於加強或拓展學生於本課所學的知識，使他們更能運用思考工具，解決相衝突的責任。老師可要求學生以獨立或分組的方式完成這些活動。在分派這些活動時，鼓勵學生運用他們學到的責任分析方法；並請他們向全班報告自己的活動成果。

## 第七課：法院應維護哪一方的責任？

### 課程概述

本課提供的情境分析及評估練習，是針對相衝突的責任、價值和利益。學生在本課將透過模擬法庭的角色扮演，學習美國聯邦最高法院一件具有重要意義的案例 ——「威斯康辛州訴尤德案」（Winscin v. Yoder, 1972）「威斯康辛州訴尤德案」。學生須完成另一個思考工具表，然後針對法院究竟應維護阿米希人（Amish）的宗教權利，或是支持州法律強制兒童到校接受教育，說明自己為何選擇採取這個立場。

### 課程目標

本課結束後，學生應該能夠：

- 運用指定的程序和一些考量因素，去分析和評估某項情況。

- 對於該情況所必須做出的決定，能提出足以支持自己立場的理由。

## 課前準備／教材範圍

學生課本第 44-48 頁

影印學生課本第 47 頁的責任表，發給每位同學一張

**彈性選項：**邀請法官或律師到班上，和學生一起準備簡報，並參與模擬法庭。

## 教學程序

### 一、本課介紹

讓全班看學生課本第 45 頁的圖，並回答圖片說明中的問題：「法院應如何平衡社會的利益和該群體希望維持一個不同的生活方式的利益？」老師必須對圖中出現的阿米希人提供一些相關的文化和宗教哲學的背景知識。在學生討論時，幫助學生了解聯邦最高法院的法官由於有責任要解釋和說明《美國憲法》與《權利法案》的意義，因而時常面對不同需求的衝突。

請全班閱讀學生課本第 44 頁的本課目標。

### 二、批判思考練習

#### 檢視責任與宗教自由

請全班閱讀學生課本第 44-46 頁的「檢視責任與宗教自由」，這裡摘錄的短文「威斯康辛州訴尤德案」（Winscin v. Yoder），描述的是威斯康辛州的法律要求兒童須接受教育直到 16 歲。尤德是阿米希教派社區的成員，根據他的宗教信仰，高中教育無法訓練兒童適應阿米希教派的成人生活，因此他不讓小孩接受高中教育。

老師可要求學生與同組夥伴完成閱讀和分析練習。影印學生課本第 47 頁的責任表，發給每位同學。給予學生充裕的時間去完成表格，然後請學生報告他們的答案。

請跟全班一起討論這篇案例描述，確認學生了解在此議題上，最高法院所面臨的需求衝突。要求學生分辨出法院有哪些衝突的責任、價值和利益。將學生的回答記錄在黑板上；本手冊第 177-178 頁有列出一些可能的答案。

## 三、批判性思考練習（續篇）

### 進行模擬法庭

**審理「威斯康辛州訴尤德案」（Winscin v. Yoder）**

本項批判思考練習讓班上同學角色扮演，進行聯邦最高法院的審理程序。當學生完成案例閱讀，請老師將以下角色呈現在黑板上：

- 最高法院法官
- 代表威斯康辛州的律師
- 代表尤德的律師

若學生人數過多，無法讓所有學生都能參與模擬法庭的角色扮演，可再加上以下兩組：

- 反對尤德的團體
- 反對威斯康辛州的團體

以上兩組同學應做好準備，在第二、三組同學報告完畢後，接著發表反對的論點。

請將全班分為三組（或五組），每組負責一種角色。請和全班一起閱讀「進行模擬法庭：審理威斯康辛州訴尤德案（Wisconsin v. Yoder）」。在課堂上操作模擬法庭的更多教學細節，請參考本手冊的第 25-27 頁。請給予充裕的時間讓學生發展出自己對於本案議題所持的立場。

如果有邀請法官或律師到課堂上，來賓可以和學生一起準備要發表的立場；也請來賓聆聽學生的報告和參與班級討論。鼓勵來賓和班上同學分享自己所遇過的、類似尤德的案子。

## 四、課程總結

在進行角色扮演後，請法官向同學分享他們的決定。請該小組確認他們所表達的哪一個論點對於他們的決定，最具影響力。請學生分享對於這項議題的個人觀點。和全班一起討論，在發展立場的過程中，思考工具所發揮的效用。

請全班同學再次閱讀課本第 46 頁的本課目標，並要求學生說明自己達到幾項目標。

本課是第三單元的總結；請學生在學習日誌中記錄他們學會了哪些考量和思考工具，可以用來分析和評估相衝突的責任、價值觀和利益。

## 課後練習

本課讓學生學習運用思考工具，在責任衝突的情況中，做出決定；學生課本第 50 頁「學以致用」所列的活動，用意在於加強或延伸學生的能力。老師可要求學生獨自或者以小組的方式完成學以致用的活動。在分派這些活動時，鼓勵學生運用分析責任的程序；並請他們向全班分享他們的成果。

### 教師參考內容

威斯康辛州訴尤德案（Winscin v. Yoder）（406 U.S. 205, 1972）

美國聯邦最高法院以 6 比 1 的表決結果，決定威斯康辛州強制要求阿米希教派門諾教會信徒的子女接受高中教育，已侵害美國憲法增修條文第 1 條宗教活動自由條款所保障的家長權利。

最高法院決定，州政府實施一般教育的權利，在與其他基本權利衝突時，並未凌駕於這些權利之上，例如：自由條款所特別保障的權利，或家長養育子女的傳統權利。阿米希教徒主張，州法律強制八年級以上的阿米希教派青年接受一般教育，即使未摧毀他們的宗教信仰，也會嚴重破壞他們的信仰。他們指出，阿米希教區長久以來一直是自給自足的宗教社區，居民虔誠信教，而他們獨特的生活方式亦和其信仰密不可分，因此為延續該教派，不可阻斷這種生活方式與信仰的關連。

多數認為，阿米希教徒很難說明他們所選擇的非正式職業教育，並未像威斯康辛州最高法庭所判，違反了該州實施高中義務教育的目標和重要權利。阿米希教徒說明了放棄最後一、二年的義務教育，並不會危害孩童的身心健康，或妨礙他們成為自立、有貢獻的公民。此外，阿米希教徒也表示，高中教育著重智識與科學方面的成就、自我區別（self distinction）與競爭力，這些價值觀都有違阿米希教派的想法；他們認為真正的學習，應透過工作、善良的生活態度、維持社區福祉、以及出世而非入世的生活。

| | 尤德 | | 威斯康辛州 | |
|---|---|---|---|---|
| 1. 這件案子中牽涉了哪些責任？ | 根據阿米希宗教信仰教育他的子女 | 遵守威斯康辛州的法律 | 執行州政府提供給所有兒童教育的法律 | 允許居民擁有宗教信仰自由 |
| 2. 這些責任的來源為何？ | 宗教信仰、道德原則、教養、習俗 | 法律 | 法律 | 法律、美國憲法 |
| 3. 盡到這些責任時可能有哪些獎勵？ | 兒童較能依照阿米希教派的規定而成長 | 避免與政府當局發生衝突 | 提高公民較育程度 | 宗教信仰的多樣性、道義自由 |
| 4. 未盡這些責任時可能有哪些懲罰？ | 其他教派的反對 | 罰鍰或拘禁 | 公民教育程度低落 | 破壞宗教自由 |
| 5. 盡到這些責任時的利益為何？ | 兒童能虔誠信仰阿米希教派 | 可避免與政府當局發生衝突 | 兒童能接受基本教育 | 保障宗教自由 |
| 6. 盡到這些責任須付出什麼代價？ | 與州政府發生衝突 | 兒童無法接受阿米希教派的教育 | 宗教自由受限 | 阿米希教派的兒童可能達到基本教育水準 |

| | | | | |
|---|---|---|---|---|
| 7. 這些責任有多重要？ | 較重要 | 較不重要 | 可能同樣重要 | 可能同樣重要 |
| 8. 這項決定有多迫切？ | 必須將兒子送到學校受教育 | | 必須適時做出決定 | |
| 9. 所需的時間多長？ | 無關 | 無關 | 無關 | 無關 |
| 10. 所需的資源為何？ | 無關 | 無關 | 無關 | 無關 |
| 11. 其他相關的價值觀與利益為何？ | 讓兒童幫忙田裡工作，可能創造經濟利益 | 信仰宗教的自由 | 犧牲執法權力 | 無關 |
| 12. 還有哪些可能的替代解決方案？ | ■ 尤德可能同意在家提供兒童同等教育<br>■ 尤德可能同意在一年中讓兒童接受普通教育一段時間<br>■ 州政府可能承認，阿米希的教育對該教派的兒童而言已經足夠<br>■ 州政府可幫助尤德在家教育兒童 | | | |

## 第四單元：誰該負責？

### 介紹第四單元

提醒學生，本書前三個單元探討責任的其中一個面向，即個人或群體在特定情境中做某事或不做某事的本分或義務。

向全班說明本單元探討的是責任概念的其他運用面向。在接下來的幾課中，學生會學到一套考量因素和程序，有助於判斷誰應該為已經發生的某事負責（意即應該負起責任，或是值得嘉許）。決定責任歸屬有助於：

- 獎勵有功績的個人或團體；
- 要求個人或團體為錯誤或傷害負起責任，以及／或
- 運用知識，作為將來的行為準則。

學生在特定情況中運用思考程序或思考工具時，應辨別：

- 需要有人出面負責的事件或情境
- 事件中可能必須負責的個人或團體
- 因果關係
- 心理狀態，包括故意、輕率、疏忽、能認知可能發生的結果
- 是否受控制或能自由選擇
- 是否出於本分或義務
- 是否有更重要的價值觀、利益或責任

學生將學習到，雖然並非每種情況都與上述各項概念有關，但這些概念卻能形成參考架構，有助於人們分析情況，考量何人或哪個團體應為該事件或情況負起責任。

請全班看學生課本第 49 頁的圖片，並辨別誰應為圖片中所顯示的事件負責。請學生回答圖片說明中的問題：「意外或傷害發生時，如何決定應該由誰負起責任？如何決定一項成就應該歸功於誰？如何決定誰應該為戰爭的罪行負責？」

讓全班閱讀學生課本第 49 頁的單元目標。請學生舉出兩件他們希望從第四單元學到的事情。如果學生在上責任課程時，有寫學習日誌，可以寫下他們希望從本單元中學到的事情。

## 第八課：如何判定責任？

### 課程概述

本課介紹一套程序或謂思考工具，有助於決定某項功績或罪行的責任歸屬。在批判思考練習，學生將運用這套程序去決定誰該對學校餐廳的一樁意外負起責任。

## 課程目標

本課結束後，學生應能：

- 分辨思考工具中的哪些步驟可用於判斷某情況或事件的責任歸屬
- 運用思考工具去對某個假設情境做出決定

## 課前準備／教材範圍

學生課本第 50-57 頁

影印本手冊第 183 頁的「決定責任歸屬的思考工具」，發給每位學生一張。

## 教學程序

### 一、本課介紹

老師在黑板上呈現關鍵詞彙時，請全班閱讀學生手冊第 50 頁的本課目標。

### 二、批判思考練習

#### 評估資訊以決定責任

請全班看學生課本第 51 頁第 52 頁的圖片和說明文字：「兩車相撞，誰該為這件意外負責？」、「重要的醫學發現，應歸功於科學小組中的哪一位成員？」讓學生有充裕時間先討論對這兩項問題的看法，再閱讀短文。

請全班閱讀學生課本第 50 頁批判思考練習「評估資訊以決定責任」中的兩篇短文。「誰應該為意外事件負責」的故事裡，旅行車的主人喬治要倒車，從自家車庫開到路上，結果與一輛來車相撞。第二段短文「發現新藥應歸功於誰？」，描述一群科學家如何共同努力、發現治癌藥方。研發新藥，功勞應歸於誰？請和全班一起討論課本第 55 頁與第 56 頁「你的看法如何？」的問題。在學生完成練習活動後，請他們向全班報告自己的答案。

## 三、閱讀與討論

### 可以用來決定責任的思考工具

以下是思考工具所包含的七項步驟，可用於決定誰應為某情況或事件負責。請老師將它們呈現於黑板上，或做成幻燈片。

- 需要有人負責的事件或情形為何？
- 誰可能必須為已發生的某事負責？
- 為何這些人必須負責？
- 此人的行為是否違反或未盡到其本分或義務？
- 個人在造成該事件或情形時的心理狀態為何？
- 故意
- 輕率
- 粗心
- 能認知可能發生的後果
- 此人或這些人是否能控制自己的行為？他們是否能選擇做出不同於當時的舉動？
- 此人或這些人是否因為更重要的價值觀、利益或責任而有當時的行為？

請全班閱讀學生課本第53-55頁的「可以用來決定責任的思考工具」。請和全班一起討論程序中的每一項步驟。請學生解釋步驟的意涵，並依照文意或自己的經驗加以舉例說明。在課程總結時，請協助學生理解第一項至第三項步驟，用於判斷某項成就應該歸功於誰；而這七項均可用於決定某項錯誤的責任歸屬。

若老師希望全班分工合作，一起研究程序中的各項步驟，可將全班分成七組，請每組負責一個項目。每一組必須向全班解釋他們所負責的項目，並依據課文，舉例加以說明。

## 四、批判思考練習

### 運用思考工具決定責任

請同學和研究同伴一起完成學生課本第 55 頁的批判思考練習：「運用思考工具決定責任」。短文〈意外〉描述馬蒂在當地酒吧喝多了，卻仍駕駛廂型車上路的後果。請將本手冊第 183 頁的「決定責任歸屬的思考工具」影本發給每位學生。讓學生有適當的時間分析情況，決定誰應為意外負責。

### 本課總結

請學生向全班分享批判思考練習活動的答案。詢問學生誰應該負責、原因為何。請學生說明在決定該情況的責任歸屬時，遇到哪些難題。

### 課後練習

學生課本第 57 頁「學以致用」的活動，用意在於加強或拓展學生於本課所學的知識，使他們更懂得運用思考程序，決定誰應為某情況或事件負責。老師可邀請律師或法官至課堂，或帶學生到法院做校外觀摩，藉此讓學生參與這些課後活動。若老師要求學生以個別或分組方式完成這些活動，然後向全班報告活動成果。

| 決定責任歸屬的思考工具 | | | | |
|---|---|---|---|---|
| 1. 探討的事件或情況為何？ | | | | |
| 2. 哪些人可能必須負起責任？ | | | | |
| 3. 這些人各有何舉動可能造成該事件或情形？ | | | | |
| 4. 這些人的行為可能違反了或未盡到何項本分或義務？ | | | | |
| 5. 這些人各自的心理狀態為何？請考慮：<br>■ 故意<br>■ 輕率<br>■ 疏忽<br>■ 對可能發生之結果的認知程度 | | | | |
| 6. 這些人是否無控制權？他們在當時能否採取不同行動？請說明你的答案。 | | | | |
| 7. 有哪些重要的價值觀、利益或責任能讓這些人毋須為自己的行為負責？ | | | | |

## 第九課：誰該為油輪事件負責？

### 課程概述

本課讓學生有機會進一步練習，將第八課所介紹的思考程序或工具，運用至特定情況。在批判思考練習中，學生必須分析和評估幾個人的行為，決定誰應為阿拉斯加原油外洩事件負責。這樁意外不但損害環境，也造成石油公司、美國聯邦政府、阿拉斯加州政府，以及當地漁業的重大損失。

### 課程目標

教完本課後，學生應能：

- 說明我們為何要決定某事件或情況的責任歸屬
- 運用思考程序，分析和評估有關某事件或情況的有關資料
- 決定誰應該為某事件或情況負責，並能說明自己的立場和理由

### 課前準備／教材範圍

學生課本第 58-62 頁

請影印學生課本第 62 頁或本手冊第 183 頁的「決定責任歸屬的思考工具」發給每位同學

### 教學程序

#### 一、本課介紹

請老師重申決定某情況或事件之責任歸屬的理由（可能是為了獎勵、懲罰或作為將來的行為準則）；並向學生說明，在發生意外的情況中，有人必須受罰，或有責任以某種方式彌補造成的損害。決定責任歸屬的另一項理由，是為了改正將來的行為。維護集體安全極為重要，釐清責任歸屬，有助於減少或消除可能造成的傷害。

請全班閱讀課本第 58 頁的本課目標。

## 二、批判思考練習

### 判斷責任的歸屬

請看課本第 58-61 頁的圖片與說明文字：「1989 年阿拉斯加原油外洩事件應由誰負責？」、「誰應該負責安全引導油輪通過阿拉斯加沿海外的危險海域？」以及「原油外洩時以及外洩後，應由誰負責清理油污並照顧野生生物與環境？」請讓學生有充足時間寫下答案。

在開始學生課本第 58-61 頁的批判思考練習活動：「判斷責任的歸屬」前，請先將全班分成小組，每組三至五人。短文〈愛克遜 · 瓦爾德茲號（Wreck of Exxon Valdez）油輪意外事件〉探討的是發生於 1989 年 3 月 23 日晚間的阿拉斯加原油外洩意外。文中描述與該意外相關的人、事以及意外所造成的損害。在開始批判思考練習前，請與全班一起閱讀活動指示。請將學生課本第 62 頁的「決定責任歸屬的思考工具」發給每位同學。在學生看完短文後，看學生課本第 60 頁中的地圖，並和他們一起研究在意外中受影響的阿拉斯加海岸。

請各小組推派代表與記錄各一名；在學生分析文中情境後，請他們決定誰應為原油外洩意外負責。提醒學生，小組成員不一定要對責任的歸屬達成共識；他們可提出小組中多數人與少數人的看法，或說明他們為何無法做出決定。或者，他們可決定意外的責任應由某人、某組織承擔，或由兩個以上的個人或組織承擔。

本手冊第 186-187 頁針對「決定責任歸屬的思考工具」中的問題，提出參考答案，有助於課堂討論，此外，老師亦可接受其他合理的答案。

## 三、本課總結

在小組完成練習活動後，請各組代表簡單報告小組的看法。所有代表報告完畢後，請全班開始討論，並評量各種不同的看法。

請學生投票選出他們最支持的看法，而後請老師向學生說明，在決定責任歸屬時，有時情況十分複雜，甚至可能缺少重要資料，但最後仍需針對這些問題做出決斷。

在總結課程時，請老師提出以下問題：「為何決定某特定情況的責任歸屬是重要的事？」在本課所討論的情況中，決定責任歸屬，是有關於匡正正義的議題，或是以公平的方式去回應原油外洩所造成的錯誤與傷害。有關匡正正義的概念，請參考學生課本關於「正義」的主題。此外，也請學生評估，在決定誰應為這樁意外負責時，思考工具所發揮的效用。

## 課後練習

學生課本第 61 頁「學以致用」的活動，用意在於加強或拓展學生於本課所學的知識，使他們更能運用思考程序，決定某情況或事件的責任歸屬。老師可要求學生以個人或分組的方式完成這些活動，並請他們向全班報告活動成果。

| 決定責任歸屬的思考工具 | | | | |
|---|---|---|---|---|
| 1. 探討的事件或情況為何？ | 油輪的損失；在威廉王子海峽外洩之原油擴散至阿拉斯加海岸 | | | |
| 2. 哪些人可能必須負起責任？ | 愛克遜石油公司 | 船長 Hazelwood | 油輪三副 | 美國海巡隊 |
| 3. 這些人各有何舉動可能造成該事件或情形？ | 裁減船員人數，導致船員超時工作，輪班間隔時間短，睡眠不足；將油輪交由酗酒的船長負責。 | 讓經驗不足的船員指揮油輪；血液檢驗顯示，事發當晚，船長確實喝醉；讓無經驗的駕駛掌舵。 | 經驗不足，無法安全駕駛油輪通過海峽；無駕船執照；將船駛離規定的航道。 | 同意愛克遜公司的裁員決定；在油輪脫離雷達搜索範圍後，與油輪失聯；新雷達系統的搜索範圍較舊型雷達小。 |

| | | | | |
|---|---|---|---|---|
| 4. 這些人的行為可能違反了或未盡到何項責任或義務？ | 有責任確保油輪及其船員的安全，並應保護環境。 | 有責任妥善指揮油輪，避免意外發生。 | 有責任盡己所能，遵從命令。 | 有責任維持合適的設備與人員，協助船隻安全通過海峽。 |
| 5. 這些人各自的心理狀態為何？請考慮他們的<br>■ 故意<br>■ 輕率<br>■ 疏忽<br>■ 對可能發生之結果的認知程度 | ■ 無<br>■ 無<br>■ 未充分考量船員的工作狀況以及船長過去的酗酒問題<br>■ 了解油污染對該區的威脅 | ■ 無<br>■ 檢驗顯示，他已喝醉<br>■ 將油輪交給經驗不足的船員指揮<br>■ 了解該區礁岩與冰山的危險 | ■ 無<br>■ 無<br>■ 未認清自己在這種情況中的能力極限，也未向他人求助<br>■ 或許了解 | ■ 無<br>■ 無<br>■ 應追蹤油輪並在必要時發出警告<br>■ 了解海峽潛藏的危險（礁岩、冰山） |
| 6. 這些人是否無控制權？他們在當時能否採取不同行動？請說明你的答案。 | 可派遣更多船員；可替換船長或監督船長的飲酒情形。 | 了解在當班指揮油輪時喝酒的危險；選擇將指揮權交給經驗不足的船員；在油輪觸礁後有適時與適切的反應。 | 可拒絕接受船長指派或求助。 | 可以雷達搜索油輪，並重新建立聯繫。 |
| 7. 有哪些重要的價值觀、利益或責任能讓這些人毋須為自己的行為負責？ | 確保獲利 | 不明顯 | 不明顯 | 不明顯 |

## 第十課：達成和平協議應歸功於誰？

### 課程概述

本課讓學生練習運用程序或謂思考工具去決定某情況或事件的責任歸屬。批判思考練習描述在當代工業化的情境中，國際間有許多人貢獻專業知識與時間，終於促成兩個長期敵對的國家簽署和平協議；學生必須決定這項成就的獎勵應該頒給誰。

### 課程目標

教完本課後，學生應能：

- 辨別該情況中可能有功的人或團體
- 運用思考程序去分析與評估某事件或情況的相關資訊
- 決定某事件或情況應該歸功於誰，並說明何以選擇這個立場

### 課前準備／教材範圍

學生課本第 64-69 頁

請影印本手冊第 183 頁或學生課本第 62 頁的「決定責任歸屬的思考工具」，發給每位同學

### 教學程序

#### 一、本課介紹

請全班閱讀學生課本第 64 頁的本課目標。請看課本第 66 頁的圖片與說明文字：「兩個交戰國達成和平協議，這項功勞應歸於何人，你如何決定？」讓學生有充裕的討論時間。

#### 二、批判思考練習

**評估、選擇並維護自己的立場**

請全班閱讀學生課本第 64-67 頁的批判思考練習：「評估、選擇並維護自己的立場」。短文「和平協議」描述沙尼亞與甘吉斯兩國的協商代表，以巧妙手段處理國內外的政治危機，成功達成和平協議。兩國因此得以擺脫連年戰爭的蹂躪，也能將國家資源運用在更和平、有利的方面。

在學生讀完短文後，請他們回答課本第 67 頁「你的看法如何？」的第一個問題。請學生在判斷時，將所有促成和平協議的有功個人或團體列入考量。請將學生的答案寫在黑板上。

## 三、批判思考練習（續篇）

### 公聽會的前置作業與進行步驟

請將全班分成小組，每組三至五人，並請各組推派一位代表和記錄。討論「你的看法如何？」的第二個問題。

討論學生課本第 62 頁「決定責任歸屬的思考工具」中所列的項目，請學生判斷哪些項目有助於決定某情況中的責任歸屬。學生大概會認為項目一至三最適合該情境。老師可提出其他考量因素，如貢獻的時間、精力、金錢、領導才能或創意，學生在決定某項成就應歸功於何人時，亦可就這些因素加以考量。請讓各小組有充裕時間討論。

在學生完成練習活動後，請各組代表向全班報告小組的評判結果。並請其他組員說明該組的依據。

請全班投票表決，選出前三名促成和平協議的重要有功個人或團體。

## 四、本課總結

老師在總結本課時，請學生舉出他們在做決定時所遇到的困難。哪些補充資訊可能有助於解決困難？請學生評估，在分析本課所描述的情境時，思考工具發揮了什麼功效。

請看學生課本第 68 頁的圖片與說明文字：「公民對於監督和影響公共政策，應負什麼責任？」鼓勵學生運用在本課所學的知識，思考當前的問題。

本課為第四單元的總結。請學生在學習日誌中，簡述自己從功過的責任釐清，學到了什麼，並且評估思考工具發揮了哪些效用。

## 課後練習

學生課本第 69 頁「學以致用」的活動，用意在於加強或拓展學生於本課所學的知識，使他們更能運用思考程序，決定某情形或事件的責任歸屬。老師可要求學生以獨立或分組的方式完成這些活動，並向全班報告自己的活動成果。

**責任課程總結**

「責任」課程的學習到此結束。不論對授課教師或學生來說，對《民主基礎系列：責任》這部分的課程，進行整體的回顧和評估，包括授課內容與學習方法，都是極寶貴的學習經驗。

請將本手冊第 39 頁的「學習經驗省思」空白表格的影本，發給每位同學。請向學生說明，他們要回顧和評估的不僅是自己的經驗，還有全班整體的學習經驗。請學生向全班分享彼此的回答。

# 正義課程

## 正義課程簡介

首先，告訴學生現在只要打開電視或翻開報章雜誌，一定會看到與正義有關的事件。例如，個人或團體受到不當待遇或是資源、利益與負擔遭到不當分配，以及司法審判程序的爭議。請學生回顧自己的經驗，說出幾件公平與不公平的事件，事件的主角可以是個人或團體。學生必須說明事件當中哪些地方公平，哪些地方不公平。

1963 年，馬丁路德•金恩博士在美國首府華盛頓發動人權大遊行，發表著名演說〈我有一個夢想〉。現在，請學生描述演說內容提到哪些國家的正義議題。其次，請學生閱讀課本第 2 頁簡介的第一段，討論金恩博士理想中的正義社會應該具備哪些條件。接下來，請學生討論目前國內社會或學生居住的社區有哪些事件與正義有關。最後，請學生看課本第 2 頁圖片，回答圖片下方的問題：「馬丁•路德金恩博士（Martin Luther King, Jr.）在 1963 年華盛頓人權大遊行發表演說〈我有一個夢想〉，演說內容提到哪些正義議題？」。

請學生閱讀課本第 2 頁的簡介，討論歷史上有哪些倡導正義的重要政策及法典。請學生討論正義的定義。在本教材中，正義的意義類似「公平」。請教師向學生說明教材內容提供許多生活化的案例，來介紹正義的概念。學生將會學到一系列「思考工具」，用來分析各種正義議題。有了這些思考工具，我們將能以理性思維的方式，解決正義的問題。有關思考工具的詳細介紹，請參閱本手冊第 7-8 頁。

## 第一單元：何謂正義？

### ➡ 介紹第一單元

告訴學生第一單元主要目的在於介紹正義的概念，探討日常生活中哪些事情與正義有關，以及通常會有哪些社區、國家與國際重要事務牽涉到正義。

請學生看課本第 3 頁的圖片，討論圖片內容牽涉到哪一種正義。請學生回答圖片下方的問題：「正義分為三種：分配正義、匡正正義、程序正義，這三張照片分別屬於哪一種正義？」。再請學生討論學習三種正義的重要性。

請學生閱讀課本第 3 頁單元目標，列出自己希望在第一單元學到的三項知識（可寫在筆記本或作業簿上）。等到正義課程結束後再請學生回顧先前的筆記。進入第二、第三與第四單元之前，記得都要請學生寫下三項他們希望學到的知識。

## 第一課：正義的議題有哪些類型？

### 課程概述

本課概略介紹三種正義，學生先閱讀課文，再討論分配正義、匡正正義、程序正義的相關案例問題。學生學習三種正義的定義，練習將不同的事件按照三種正義分類，並且探討事件中哪些地方符合正義，哪些地方違反正義。最後學生從自己的生活經驗找出與三種正義相關的事件，並分享心得。

### 課程目標

課程結束後，學生應具備下列能力：

- 了解分配正義、匡正正義、程序正義的定義。
- 能歸類事件屬於分配正義、匡正正義或程序正義。
- 了解將正義議題分為三種類型的好處。
- 根據自身經驗或所見所聞，描述跟三種正義相關的事件。

### 課前準備／教材範圍

課本第 4-9 頁。

報紙與新聞雜誌（分組活動用，三人一組，每組至少發給一份）。

## 教學程序

### 一、本課介紹

請學生回想自身經驗，找出自己或他人曾經說過「不公平！」的事件。將學生的經驗寫在黑板上，告訴學生這些事件牽涉到不同種類的正義，接下來他們就要在本課中學習三種正義。建議保留前述學生的討論資料，因為接下來的活動要請學生將這些事件依照三種正義加以分類。

請學生閱讀課本第 4 頁弗朗士 1894 年的一段話，討論這段話是否公平。學生可能認為法律乍看之下講求平等，實際上卻充滿差別待遇。請學生看第 4 頁圖片，回答圖片下方的問題：「平等對待每一個人就叫做正義嗎？」

將關鍵詞彙做成紙卡呈現在黑板上，同時請學生閱讀課本第 4 頁「本課目標」。

### 二、批判思考練習

請學生三至五人一組，完成第 5 頁批判思考練習「檢視有關正義的議題」。開始之前，先帶領學生閱讀批判思考練習的說明，以及後面「你的看法如何？」的問題。練習結束之後請學生發表意見。

### 三、閱讀與討論

#### 爲何要將正義的議題區分成不同類型？

將三種正義（分配正義、匡正正義、程序正義）做成紙卡，呈現在黑板。請學生閱讀課本第 6 頁「為何要將正義的議題區分成不同類型？」，討論三種正義的定義。將學生的答案寫在黑板上。請學生參考課本案例或自身經驗，列舉與三種正義相關的事件。

請學生看課本第 8 頁圖片，回答圖片下方的問題：「什麼方法能讓美國公民跟新移民享有相同的就業機會？」

結束討論，詢問學生將正義議題分為三類的好處。如果學生對思考工具的觀念還不太熟悉，花點時間說明，告訴學生這些工具如何用來分析與正義相關的事件，解決爭議。

## 四、批判思考練習

### 辨別三種正義

請學生分組，完成課本第 7 頁批判思考練習「辨別三種正義」，開始之前先帶領學生閱讀批判思考練習說明以及課本第 8 頁「你的看法如何？」的問題。

批判思考練習參考答案：

1. 哪些例子屬於

- 分配正義（2、5、6、12）
- 匡正正義（1、8、11）
- 程序正義（3、4、7、9、10）

2. 你認為這些例子公不公平？請說明理由。

   鼓勵學生闡明每個案例的公平與不公平之處，檢視與評價有關公平的不同答案。

3. 為了判斷一個例子是否公平，我們會提出什麼問題或是考量哪些事？

   這個題目能幫助學生了解將正義議題分為三類的好處，以及了解思考工具的概念。為了引導學生課堂討論與分析其回應，請先參閱第二單元、第三單元與第四單元的思考工具表。

4. 你有沒有和這 12 個正義的例子相類似的經驗？請舉出你的親身經驗或看過的事情。

這個題目可以幫助學生了解日常生活哪些事件與三種正義有關。請學生至少說出一件親身經歷或聽說的事件，內容必須與三種正義相關。

## 五、課程總結

請學生分為三至五人一組，發給每組一份報紙或新聞雜誌，請學生找出與三種正義相關的文章，與大家分享，討論每篇文章內容牽涉到哪一種正義。活動結束後，請學生列舉將正義議題區分為分配正義、匡正正義、程序正義的好處。教師可要求學生運用報章雜誌文章，以正義為題製作「正義看板」（或公布欄）。

請學生再次閱讀課本第 4 頁本課目標，自我評析是否達到目標。

### 課後練習

課本第 9 頁「學以致用」的練習活動目的在於幫助學生溫習所學，加強學生區別分配正義、匡正正義、程序正義的能力。教師指導並鼓勵學生依照課文的建議，完成以下活動：

- 區別事件屬於何種正義。
- 思考事件當中有哪些公平與不公平之處。
- 分享自己曾經經歷或觀察到的類似事件。

教師可以請學生單獨完成「學以致用」的活動，也可以分組進行。活動完成後，請學生發表意見。

## 第二課：美國立國文獻如何促進正義？

### 課程概述

本課摘錄美國《獨立宣言》、《憲法》、《權利法案》以及憲法增修條文的部分內容，這些條文創立的法律原則與政策都與三種正義議題有關。

學生練習辨認每條摘錄條文分別與哪種正義議題有關，並且了解法律條文的功能，探討法律條文所要保障與倡導的是哪些重要原則、價值與利益。

## 課程目標

本課結束後，學生應具備下列能力：

1. 能從立國文獻所處理的議題，加以分類為分配正義、匡正正義、程序正義等類別。
2. 能針對條文所涉及的有關分配正義、匡正正義和程序正義的議題，說明那些條文的功能。
3. 能辨認條文中所要保障與促進的原則、價值及利益。

## 課前準備／教材範圍

課本第 10-15 頁

可使用的輔助性教材：紀錄紙與麥克筆

## 教學程序

### 一、本課介紹

請學生注意課本第 11-14 頁的圖片，並且說明圖片所描述的事件內容與美國憲法精神的關連。

與學生一起討論圖片下方的問題：

《美國憲法》增修條文第 1 條保障人民集會與請願自由的權利，這是促進分配正義、匡正正義，還是程序正義？

《美國憲法》增修條文第 14 條規定任何人均享有平等法律保護，這是促進分配正義、匡正正義，還是程序正義？

《美國憲法》增修條文第 26 條保障 18 歲以上公民的選舉權，這是促進分配正義、匡正正義，還是程序正義？

《美國憲法》增修條文第 6 條規定刑事案件被告可以請律師協助辯護，這是促進分配正義、匡正正義，還是程序正義？

《美國憲法》增修條文第 19 條保障女性的選舉權，這是促進分配正義、匡正正義，還是程序正義？

教師在黑板呈現「關鍵詞彙」時，請學生閱讀課本第 10 頁的本課目標。

## 二、批判思考練習

### 檢視正義 —— 美國的立國精神

將學生分為五組，帶領學生閱讀課本第 11-14 頁批判思考練習「檢視正義 —— 美國的立國精神」的說明，以及課本第 15 頁「你的看法如何？」的問題。課文列有五組法律條文，指派每組同學負責研究一組條文。請給予學生充分的時間討論。

教師可發給各組紀錄紙或新聞紙，以便於讓學生寫下討論結果，並且在後續將這些成果貼在教室牆壁上。教師也可以指派小組分工合作；例如一位組員負責唸出問題，另外幾位組員負責帶領討論，一位組員負責記錄，再由一位組員負責報告。在這個活動，教師也可指派一位組員，運用課本後方的關鍵詞彙表或是適合的字典，負責解說課文較艱深的關鍵詞彙。

思考練習結束後，請各組報告討論結果。參考答案如下表所示。在討論時，請教師注意一項法律條文可能涉及不只一種的正義歸類。在討論時，教師要能接受學生的合理建議，容許他們有不同的歸類方式。

### 1. 這些條文屬於分配正義、匡正正義，還是程序正義？

| 組別 | 分配正義 | 匡正正義 | 程序正義 |
|---|---|---|---|
| 1 | 《獨立宣言》<br>憲法增修條文 | 憲法增修條文第 8 條 | |
| 2 | 憲法增修條文第 14 條、第 1 條第 9 款第 3 項 | | 憲法增修條文第 7 條、第 14 條 |
| 3 | 憲法增修條文第 26 條 | 第 2 條第 2 款 | 第 1 條第 9 款第 2 項、憲法增修條文第 5 條 |

| | | | |
|---|---|---|---|
| 4 | 第 3 條第 3 款第 2 項、憲法增修條文第 13 條第 1 款、憲法增修條文第 24 條第 1 款 | 第 3 條第 3 款第 2 項 | 憲法增修條文第 6 條 |
| 5 | 憲法增修條文第 4 條、憲法增修條文第 19 條第 1 款 | | 第 3 條第 2 款第 3 項第 4 條第 2 款、憲法增修條文第 4 條 |

(1) **分配正義：**那些聚焦於分配正義的條文，他們所提及的是哪些利益或負擔？

一般來說，歸類為分配正義的相關條文，保障個人權利（如生存權、自由、幸福、宗教信仰自由、言論自由、出版自由、集會自由、隱私權）以及政治權利平等（選舉權、法律平等保障）。

這些聚焦於分配正義的條文，每項條文所要保障或促進的是哪些價值與利益？

(2) **匡正正義：**那些聚焦於匡正正義的條文，他們所提及的是哪些處置方式？

這些條文保障人民免受殘酷逾常的刑罰，享有赦免與緩刑的權利，另外規定叛亂罪的刑罰。

這些聚焦於匡正正義的條文，每項條文所要保障或促進的是哪些價值與利益？

一般來說，這些條文保障並促進人性尊嚴。

(3) **程序正義：**那些聚焦於程序正義的條文，他們所提及的是哪些程序？

這些條文牽涉司法程序（如大陪審團起訴、獲悉被控之罪名、迅速審判、要求律師協助辯護、要求與原告之證人對質，以及「同一罪案，不得令其受二次生命或身體上之危險」等）以及蒐證與決策過程（如公正陪審團審判、公開審判、「不受無理拘捕、搜索與扣押」、「不得強迫刑事罪犯自證其罪」、「未經司法程序，不得剝奪任何人之生命、自由或財產」等）。

那些聚焦於程序正義的條文，每項條文所要保障或促進的是哪些價值與利益？

一般來說，這些條文要求政府運作公正、公開，並且保障與維護人性尊嚴、個人自由、隱私以及財產。

2. **哪些條文提及一種以上的正義？**

    第 3 條第 3 款第 2 項、憲法增修條文第 4 條、憲法增修條文第 14 條。教師務必與學生一起討論，其他涉及一種以上的正義條文，任何合理的分類方式都應該被考慮。

最後，請學生討論當初制定這些法律的人希望達成哪些目的、落實哪些正義、維護哪些基本原則與價值。

本課是第一單元的最後一課，如果學生有做筆記，請學生回顧先前的筆記，看看自己當初寫下的三項學習目標。再請學生在筆記本上寫下三種正義的摘要，溫習三種正義的內容。

## 課後練習

課本第 15 頁「學以致用」的活動，他的目的在於加強或拓展學生區別分配正義、匡正正義、程序正義的能力。建議教師鼓勵學生在進行任何活動時，依照下面的步驟進行：

1. 確認此情境涉及何種正義。
2. 思考此情境中有哪些公平或不公平的地方。
3. 確認此情境牽涉哪些基本原則、價值與利益。

教師可以請學生單獨完成「學以致用」的活動，也可以分組進行。活動完成後，請學生在班上發表報告。

# 第二單元：分配正義？

## 介紹第二單元

告訴學生第二單元的主題是分配正義。所謂分配正義，就是公平分配權利與義務。學生在第三課學習一套思考工具，用來解決分配正義的難題。分配正義思考工具的內容包括：

- 相似原則
- 一系列運用相似原則的考量標準（如需求、能力、應得與否）
- 在分配正義行動前需要考量其他的價值與利益

第三課的練習活動要請學生運用思考工具，分析一個有關就業機會分配的法律案件。接下來的課程裡，學生將有機會運用思考工具，分析兩個有關社會福利與稅賦分配的案例。

將「分配正義」、「益處」（benefits）、「負擔」（burdens）三個詞彙做成紙卡，呈現在黑板上。請學生閱讀課本第 17 頁「單元目標」，討論分配正義的定義，並將學生的答案寫在黑板上。學生的答案應該接近課本的答案，也就是公平分配益處或負擔。請學生討論益處的定義，並舉例說明哪些益處需要分配（可參考課文內容或自身經驗），討論負擔的定義，並舉例說明哪些負擔需要分配。

請學生看課本第 17 頁圖片，回答圖片下方的問題：「這些照片如何說明分配正義的議題？」。請學生思考日常生活中哪些難題與分配有關。

請學生列出三項他們希望在第二單元學到的知識，寫在筆記本上。

## 第三課：分配正義的思考工具

### 課程概述

本課重點在於介紹分配正義思考工具。學生首先學習相似原則，所謂相似原則，就是在某種情況下，具有某些條件的人應該得到相同待遇，不具有這些條件的人就應該得到不同待遇。

接著學生練習運用需求、能力、應得與否等條件分析分配對象的異同之處。

最後，學生能指出相似原則以及需求、能力、應得與否三項條件，公平分配思考練習當中的益處與負擔。

## 課程目標

課程結束後，學生應具備下列能力：

1. 了解相似原則的定義。
2. 運用相似原則與需求、能力、應得與否三項條件分析與分配相關的事件。
3. 了解分配時為何需要考量其他價值與利益。
4. 理解運用相似原則的好處，以及分析分配正義議題時，能考量需求、能力、應得與否等三項因素。

## 課前準備／教材範圍

課本第 18-25 頁。

影印並發給學生每人一份課本第 25 頁的分配正義思考工具的空白表格

## 教學程序

### 一、本課介紹

請學生看課本第 19 頁圖片，回答圖片下方的問題：「在處理分配正義的問題時，對於需求加以考量，會有什麼用處？」。討論圖片中的人物哪些地方相同、哪些地方不同。

將關鍵詞彙呈現在黑板上，同時請同學閱讀課本第 18 頁的本課目標。

## 二、閱讀與討論

### 分配正義的一些議題

請學生閱讀課本第 18 頁「分配正義的一些議題」，再次討論分配正義的定義，重點放在益處與負擔。請學生參考課文內容或自身經驗，舉例說明社會中有哪些益處與負擔需要分配。花些時間討論課文中有關稅賦、教育機會、社會福利、國際救援等層面的分配問題。並讓學生思考這些益處與負擔為何不容易分配？有些情形是否需要考量其他價值與利益，而非一味追求公平分配？

## 三、閱讀與討論

### 如何解決分配正義的議題？

請學生閱讀課本第 19 頁「如何解決分配正義的議題？」，討論「相似原則」的定義，並參考課文內容與自身經驗舉例說明。

## 四、閱讀與討論

### 相似原則當中的重要考量？

將需求、能力、應得與否三個詞彙，呈現在黑板。請學生閱讀課本第 20 頁「相似原則當中的重要考量」，並簡短討論三個詞彙的定義。請學生閱讀課文當中有關需求、能力、應得與否的案例，並回答每個案例後面的兩個問題。

## 五、閱讀與討論

### 相似原則的難題

請學生閱讀課本第 21 頁「相似原則的難題」，並確認學生是否能理解課文內容。

## 六、批判思考練習

### 辨別相關因素

請學生兩人一組，完成課本第 21 頁思考練習「辨別相關因素」。帶領學生閱讀思考練習的說明，練習結束後請學生分享想法。

## 七、閱讀與討論

### 應該考量的價值與利益

請學生看課本第 22 頁圖片，回答圖片下方的問題：「在決定是否幫助災民時，你認為有哪些重要的利益和價值是需要被考慮的？」。請給予學生充分時間討論，討論結束後再閱讀課文。

請學生閱讀課本第 22 頁「應該考量的價值與利益」，討論價值與利益的定義，並參考課文內容與自身經驗舉例說明。

## 八、批判思考練習

### 運用思考工具，評估法律案例

發給學生每人一份課本第 25 頁「分配正義的思考工具」空白表格。請學生三人一組，完成課本第 22 頁批判思考練習「運用思考工具，評估法律案例」。

這個批判思考練習要請學生研究「科羅拉多州反歧視委員會 vs. 大陸航空公司」（Colorado Anti-Discrimination Commission v. Continental Airlines, Inc.）訴訟案件。大陸航空公司以種族背景為由拒絕錄用非裔美籍飛行員馬龍・格林（Marlon D. Green），涉嫌違反美國科羅拉多州在 1957 年制定的反歧視法。請教師向學生說明這個案子後來送到美國聯邦最高法院，當時美國國會尚未通過民權法案。民權法案（Civil Right Act）於 1964 年通過，規定有關人員聘用、教育、公共福利等決策不得存有任何歧視。法案第 7 條特別規定雇主、勞工工會與就業機關不得以種族、信仰、膚色、國籍、血統為由拒絕雇用合格應徵者。法案第 7 條也設立平等就業機會委員會，負責執行相關調查、公聽會與民事法律程序。

帶領學生閱讀批判思考練習的說明，請給予學生充分時間討論，以及完成「分配正義的思考工具」表格。

## 課後練習

課本第 24 頁「學以致用」的練習活動目的在於幫助學生複習所學，加強學生使用分配正義思考工具的能力。學生練習運用相似原則，並考量分配對象的需求、能力與資格。建議教師指導學生依照下面的步驟完成活動：

1. 運用相似原則。
2. 考量分配對象的需求、能力與應得與否。
3. 考量其他重要價值與利益。

教師可以請學生單獨完成學以致用的活動，也可以分組進行。

**教師參考資料**

科羅拉多州反歧視委員會訴大陸航空公司，編號 372 U.S. 714 ( 1963 )
Colorado Anti-Discrimination Commission v. Continental Airlines, Inc. 372 U. S. 714（1963）Inc., 372

科羅拉多州反歧視委員會認為大陸航空公司違反該州反歧視法，命令該公司下次徵選機長必須優先錄取馬龍。科羅拉多州法院駁回委員會命令，理由是航空公司屬於州際商務，不受州政府法律管轄。美國聯邦最高法院駁回初審法院判決，最高法院認為科羅拉多州的反歧視法並無衝突或抵觸管轄航空公司人員聘用歧視案件的聯邦法律，也並無剝奪美國國會賦予航空公司的任何權利。

## 第四課：州政府應該如何分配補助款？

## 課程概述

本課提供機會，讓學生練習應用思考工具，解決分配正義的問題。學生要閱讀簡介美國州政府補助條件的短文。思考練習要請學生分組，檢查五位自認符合補助資格的申請人簡介。接著學生要運用思考工具，討論補助分配的原則，針對分配正義的問題，形成立場。最後學生透過角色扮演的活動，模擬州政府補助資格審查委員會，聽取五位申請人的陳述，並決定誰能得到州政府補助。

## 課程目標

課程結束後，學生應具備下列能力：

1. 能運用思考工具發展及支持各種立場，以用來決定哪些申請人應該獲得政府補助。
2. 能解釋從他們的立場所考量的價值與利益。
3. 能評估分配正義的各種立場以及其他價值與利益。

## 課前準備／教材範圍

課本第 26-32 頁。

影印課本第 25 頁「分配正義思考工具表」給每個學生。

非必備的教材：進行本課時邀請一位經由選舉產生的公職人員到班上。

## 教學程序

### 一、本課介紹

請學生看課本第 26 頁的圖片，要學生回答圖片說明下方的問題：「你如何決定哪些人有資格領取州政府補助？」如果先前沒有介紹思考工具，請利用一點時間向學生說明。有關思考工具的詳細說明，請參閱本手冊第 7-8 頁。問學生應該如何運用思考工具，決定誰有資格得到州政府補助。

### 二、閱讀與討論

#### 誰符合政府補助資格？

請學生閱讀課本第 26 頁「誰符合政府補助資格？」，課文內容概略描述通常哪些人或團體有資格領取政府補助。要學生從資格名單上，列舉課文所列的條件，將學生的答案寫在黑板上。然後請學生回答「你的看法如何？」的問題。

## 三、批判思考練習

### 評估政府補助金的申請資格

這項批判思考練習包括讓學生進行角色扮演活動，在角色扮演的活動說明之前，請先在黑板上呈現下列角色：

- 古怪的發明家
- 不具專業技術的失業勞工
- 失業的工程師
- 不良於行的文字工作者
- 失去依靠的孩子們
- 州政府補助資格審查委員會

全班閱讀課本第 27-31 頁關於批判思考練習「評估政府補助金的申請資格」的說明，確認學生完全了解角色扮演的方式。

請學生閱讀五位希望獲得政府補助的申請人簡介，要學生描述每位申請人的狀況，再請學生看第 28、29、30 頁的插圖，回答插圖下方有關申請人需求、能力、應得與否的問題。

請學生分為六組，分別扮演黑板上的六種角色。發給學生每人一份課本第 25 頁「分配正義的思考工具」的空白表格。請給予學生充分時間討論並完成思考工具表，並對議題形成立場。有關舉辦立法聽證會（legislative hearing）的詳細說明，請參閱本手冊第 19-21 頁。

教師可邀請一位經由選舉產生的公職人員到班上輔助教學，指導各組學生準備報告。當活動進行到陳述論證階段時，社區資源人士與資格審查委員會合作。要確定這位公職人員（資源人士）必須熟悉分配正義思考工具的內容。

各組報告結束後，請政府補助資格審查委員會報告哪些申請人將會得到補助。這位資源人士可以與學生一起分析委員會的決議與決議過程。有關如何善用社區資源人士進入班級指導的詳細說明，請參閱本手冊第17-18 頁。之後，全班一起討論課本第 31 頁「你的看法如何？」的問題。

### 四、本課總結

請委員會成員解釋決策背後的理由，將理由寫在黑板上。請學生分析委員會在決策過程中考量五位申請人哪些共同點與不同點。

1. 委員會比較看重申請人的需求、能力，還是應得與否？
2. 如果只講究「公平分配」，可能會產生哪些優點與缺點？
3. 除了正義之外，委員會的決議還符合哪些價值與利益？
4. 在本次議題發展及採取立場時，分配正義思考工具在哪些方面是有幫助的？

請學生再次閱讀課本第 26 頁的本課目標，要他們描述已達到課程目標的哪些程度。

### 課後練習

課本第 32 頁「學以致用」的活動可幫助學生加強及延伸學習運用分配正義思考工具。你可以讓學生個別或分組完成活動，並且讓學生跟全班分享成果。

## 第五課：如何在公共教育中實現分配正義？

### 課程概述

本課提供思考練習，幫助學生練習運用分配正義的思考工具。課文內容介紹美國大多數的州政府運用「稅收」這種負擔，來支撐起公共教育。部分人士認為現行制度既不合理又不公平。課文探討目前各州政府運用稅收補助公立學校的原則。批判思考練習要讓學生討論現行制度是否公平，並且要學生模擬加州州議會，討論現行公共教育的財務體系是否應該改變。

## 課程目標

課程結束後，學生應具備下列能力：

1. 運用思考工具，針對公共教育財務改革計畫的公平性，發展出立場。
2. 為現行制度，提出調整方式或設計新制度。

## 課前準備／教材範圍

課本第 34-39 頁。

影印課本第 25 頁的「分配正義思考工具」空白表格，發給學生每人一份。

補充教具／教材：邀請一位學校行政主管協助教學

## 教學程序

### 一、本課介紹

請學生看課本第 35 頁圖片，回答圖片下方的問題：「誰應該繳稅以補助公立學校？」。

### 二、批判思考練習

#### 評估公共教育中的納稅人角色？

請學生兩人一組，閱讀課本第 34-35 頁批判思考練習「評估公共教育中的納稅人角色」課文內容，回答第 36 頁「你的看法如何？」的問題，並發表報告。活動完成後，請學生看第 37 頁圖片，回答圖片下方的問題：「州議會要開會討論誰該繳稅以補助公共教育，你認為應該考慮哪些層面？」。

### 三、批判思考練習

#### 以稅賦方式補助公立學校之議題上，採取立場並為其辯護

這個思考練習要請學生角色扮演，模擬加州州議會，討論撫養學齡兒

童的家庭應不應該享受稅賦減免。

在介紹角色扮演的活動之前，請教師將下列角色呈現在黑板上：

- 第一組：稅務委員會
- 第二組：都會區議員黨團
- 第三組：郊區議員黨團
- 第四組：鄉村議員黨團

教師亦可張貼一份州議會審查的法案內容，舉例如下：

籌措公共教育經費之稅務分配法案

法案內容：

- 所有居住本州且撫養就學兒童之家庭均應繳納所得稅。
- 納稅金額應依照家庭負擔之就學兒童人口數計算。

請學生分為四組，分別扮演黑板上的四組角色。一位同學負責主持議事。請各組閱讀課文的角色介紹，各組推派一位代表向其他同學說明該組扮演的角色。

帶領學生閱讀課本第 38 頁「進行議事辯論」有關議事程序的注意事項。更詳細的說明，可參閱本手冊第 21-23 頁。請給予學生充分時間，就分配正義議題，研究法案內容、決定論點，並且可改變原先立場。發給學生每人一份課本第 25 頁的「分配正義的思考工具」空白表格。

教師可邀請一位學校行政主管協助指導學生準備角色扮演。思考練習結束後，行政主管可幫忙評估學生的結論，並說明州議會是如何制定包含分配正義的政策。

### 四、本課總結

批判思考練習結束後，請全班同學投票選擇自己支持的提案，並且說明理由。將學生提供的理由寫在黑板上，請學校行政主管參與接下來的討論，討論主題如下：

1. 各組著重納稅人的哪些相同點與不同點？
2. 各組著重納稅人的需求、能力還是資格？
3. 繳稅時強調公平，可能產生哪些優點與缺點？
4. 除了正義之外，議會決策還可落實哪些價值與利益？
5. 各組在決策過程中如何運用分配正義的思考工具？

討論結束後，請學校行政主管說明州議會是如何制定包含分配正義的政策。

請學生再次閱讀課本第 34 頁的本課目標，自我評量達成哪些目標。

本課是第二單元的最後一課，請學生回顧先前的筆記，看看自己當初寫下的三項學習目標。再請學生在筆記本上寫下心得，記錄使用分配正義思考工具後學到的東西。

### 課後練習

課本第 39 頁「學以致用」的練習活動目的在於幫助學生溫習所學，加強學生使用分配正義思考工具的能力。教師可以請學生單獨完成學以致用的活動，也可以分組進行。

## 第三單元：匡正正義？

### 介紹第三單元

請看學生課本第 41 頁的照片。請學生辨認圖片裡的情境。在黑板上記錄他們的回答。根據他們的回答，請學生說明他們預測匡正正義可能的定義。詢問同學圖片下的問題：「你認為這些圖片說明了哪些匡正正義的議題？」

向同學解釋在這單元中，他們將會學習對於錯誤或傷害公平與適當的回應。在本單元的前段課程，他們會學習社會對於匡正正義的需求，以及匡正正義原則目的，包括匡正、嚇阻和預防。接著他們會學習一套思考工具，用來針對錯誤與傷害的匡正正義，加以評估、採取立場，並為其捍衛。此思考工具包括以下五個基本步驟：

- 辨別錯誤與傷害
- 辨別造成錯誤與傷害的人或團體的重要特徵
- 辨別受到錯誤與傷害的人或團體的重要特徵
- 檢視對於錯誤與傷害的替代回應及其目標
- 考量相關的價值與利益

最後，在隨後的課程裡，同學們使用思考工具來處理有關匡正正義的三個議題。這議題包括：（1）關於未成年人的縱火，（2）處理謀殺案的適當方案，（3）一個市政府的貪污案例。

讓全班閱讀學生手冊第 41 頁的單元目標。要學生列舉三個他們期待學習到或是他們也許想要了解與匡正正義有關的三個問題。

## 第六課：匡正正義的目的？

### 課程概述

本課介紹匡正正義的主題。同學將學到匡正正義意指公平與適當的回應錯誤與傷害。透過三個議題討論，同學們學習到匡正正義在社會裡的必要性。他們會知道匡正正義的目的是匡正、預防，以及嚇阻錯誤與傷害。同學們也會了解錯誤與傷害的區別。

### 課程目標

在課程結束後，同學們應具備下列能力：

- 定義匡正正義
- 解釋社會對於匡正正義的需求，以及匡正正義的目的
- 說明錯誤與傷害的差異
- 辨別牽涉錯誤與傷害的情況

## 課前準備／教材範圍

課本第 42-48 頁

給每位學生一份描述回應錯誤或傷害或兩者皆有的新聞剪報影本

## 教學程序

### 一、本課介紹

請學生看課本第 42 頁漢摩拉比法典的插圖和問題：「『以眼還眼』是不是公平合理的回應錯誤與傷害？」這個問題引起哪些有關匡正正義的議題？現今是否有其他形式的匡正正義可以反映這個概念？

跟學生一起討論本課介紹所提及的三個情況。請學生依照「你的看法如何？」裡的問題，加以回答。協助同學理解匡正正義指的是公平地回應錯誤與傷害。

分給每個同學一份描述回應錯誤或傷害或同時回應二者的新聞剪報影本。讓全班閱讀剪報，並討論回應方式是否公平且適當。

當你在黑板上呈現關鍵詞彙時，讓同學閱讀課本第 42 頁的本課目標。

### 二、閱讀與討論

#### 匡正正義的需求

讓學生閱讀課本第 43-44 頁「匡正正義的需求」。要同學定義黑板上的詞彙。和全班一起討論為什麼他們認為同在團體中生活的人，會產生出匡正正義的需求。如果社會裡的人們不能為自己的行為負起責任，那麼會發生什麼事？請學生依據第 44 頁「你的看法如何？」的問題加以回答。這些問題讓同學從自身的經驗去辨別可能需要匡正正義的情形。將他們的回應記載在黑板上。要同學針對課本所討論的錯誤與傷害，去辨別出常見的回應方式。討論這些回應如何匡正對同學們所描述的情況。請學生看第 44 頁的圖片，並且回答圖下方的問題：「對一個較輕微的過錯，透過指派社區勞務工作，使行為人悔悟，是否是面對此錯誤較為公平的處置？」

協助同學理解匡正正義的基本目的，是在錯誤或傷害發生後，能夠用公平的方法，把事情予以導正。和全班一起討論為什麼用公平的方法，把事情導正是重要的。解釋匡正正義還有其他的目的。讓同學定義以下的詞彙：匡正、預防、嚇阻。和全班一起討論為何匡正正義的其他目的，對社會而言可能是重要的。

### 三、閱讀與討論

#### 如何處理匡正正義的議題

在課堂上閱讀課本第 45 頁「如何處理匡正正義的議題？」。這篇選文，提供思考工具的概覽，將會用來針對匡正正義議題，採取立場，並為其辯護。第七、八課將更詳細地解釋思考工具的意義。請教師向全班簡短複習思考工具。

### 四、批判思考練習

#### 錯誤與傷害有何不同？

讓全班閱讀課本第 45 頁「錯誤與傷害有何不同？」。將傷害與錯誤兩個詞彙呈現在黑板上，並且要同學去定義錯誤與傷害。檢視學生對於這兩個詞彙差異的理解。幫助他們理解一個特定的情況中，可能包含錯誤，像是當有人違法，或包含傷害，像是有人損害他人的財產。部份情況同時包含了錯誤與傷害兩者，像是當有人違反法律並且做了損害他人人身或是財產的事情。

### 五、批判思考練習

#### 檢視錯誤與傷害

讓每位學生和另一位同學組成研究夥伴，完成第 46 頁「檢視錯誤與傷害」批判思考練習。在課堂上一起閱讀活動說明，並先預習「你的看法如何？」的問題。當同學完成活動，要他們向全班分享他們的回答。

### 六、批判思考練習

**對錯誤和傷害的處置，加以評估並採取立場**

將全班三至五位同學分為一組，完成第 47 頁批判思考練習「對錯誤和傷害的處置，加以評估並採取立場」。和全班一起閱讀活動說明，並先預習「你的看法如何？」的問題。當各組學生完成練習活動之後，請他們向全班分享他們的回應。

### 七、本課總結

讓學生去辨別他們認識的，或是曾經閱讀過，某人處理某種匡正正義的情況。這個人選範圍，是很廣泛的，可能是法官、教師、校長、父母、同學等等。

請學生繪製一則漫畫，主題為事件主角採取的行動，並撰寫說明文字，解釋事件主角希望達成的目標（如匡正、預防、嚇阻），並在課堂上發表自己的作品。

讓同學再次閱讀課本第頁的本課目標，並自我評量達到的程度。

## 課後練習

課本第 48 頁「學以致用」的活動設計，是為了加強或延伸同學們所學習到關於如何辨別錯誤與傷害、對於錯誤與傷害的不公平回應的解釋，以及匡正正義的目的與需求。當使用任何的活動建議時，鼓勵同學使用他們在本課所學習到的詞語。同學們可獨自或是以分組的方式完成活動。

# 第七課：匡正正義的思考工具？

## 課程概述

本課介紹匡正正義思考工具的前三個步驟，分別為：

1. 仔細分析整起事件，找出錯誤與傷害。
2. 辨別犯錯的個人或團體之重要特徵。

3. 辨別受害的個人或團體之重要特徵。

學生要學習匡正正義的重要詞彙，並在課文的案例中，練習運用這三項思考步驟。

## 課程目標

課程結束後，學生應具備下列能力：

1. 定義匡正正義思考工具的所有關鍵詞彙。
2. 針對用來處理匡正正義議題的前三個步驟，能加以說明及運用。

## 課前準備／教材範圍

課本第 50-59 頁。

分組活動：請學生分成三人一組，每組發給一份報章雜誌。

補充教具／教材：影印課本第 69-70 頁匡正正義思考工具空白表格（本課僅需使用 69 頁），發給學生每人一份。

## 教學程序

### 一、本課介紹

首先向學生說明思考工具的用途就是去評估、採取及辯護各式各樣的正義議題。

將本課關鍵詞彙呈現在黑板上，同時請學生閱讀課本第 50 頁的本課目標。

### 二、閱讀與討論

#### 評估匡正正義議題的第一步驟

請學生閱讀課本第 51-52 頁「評估匡正正義議題的第一步驟」。再次向學生說明匡正正義的基本目的在於以公平公正的方式，將錯誤與傷害事件予以導正。與學生一起討論「步驟（一）找出錯誤與 / 或傷害」。利用課文提供的案例，幫助學生理解為何需要辨認錯誤與傷害的重要特徵。請學生討論比例原則的定義，提醒學生運用比例原則必須了解錯誤與傷害的範圍、持續時間、可能影響以及惡性。

請學生看課本第 51 頁與第 52 頁的圖片，回答圖片的問題「釐清傷害是否由錯誤的行為所造成，為何很重要？」以及「為什麼決定處置方式之前，必須衡量情節輕重？」。

## 三、批判性思考練習

### 評估錯誤與傷害的嚴重程度

請學生兩人一組，運用第一套思考工具，完成課本第 52-53 頁批判思考練習「評估錯誤與傷害的嚴重程度」。

「兩間污染的工廠」的故事描述兩家工廠排放廢氣，不僅違反環境保護法，也嚴重影響空氣品質，危害周遭居民健康。

與學生一起閱讀批判思考練習的說明，以及課本第 54 頁「你的看法如何？」的問題。請學生看課本第 53 頁的圖片，回答圖片的問題：「判斷工業污染所造成的錯誤或傷害的嚴重性時，你會考慮什麼要素？」。練習完成後，請學生向全班報告及分享。

## 四、批判思考練習

### 評估該不該罰

課本第 55 頁的批判思考練習「評估該不該罰」，要再次請學生運用第一套思考工具。「玩火」的故事敘述兩位小朋友在鄰居家的車庫生火取暖，卻不小心燒毀鄰居的車庫與房子。請學生看課本第 55 頁的插圖，回答插圖的問題：「在這個案例中，錯誤與傷害的處置應如何決定？需要考量哪些重要的因素？」

與學生一起閱讀思考練習的說明以及回顧課本第 56 頁「你的看法如何？」的問題。練習完成後，請學生向全班報告及分享。

## 五、閱讀與討論

### 決定如何回應錯誤與傷害前，哪些因素是重要的？

請學生閱讀課本第 56 頁「決定如何回應錯誤與傷害前，哪些因素是重要的？」，本段課文概略介紹接下來出現的第二與第三步驟。

## 六、批判思考練習

### 透過思考工具，考量重要的因素

請學生閱讀課本第 57-58 頁「透過思考工具，考量重要的因素」，與學生一起討論「步驟（二）心態（state of mind ）：此人於事發當時抱持什麼心態？」，請學生討論「心態」的定義。提醒學生判斷一個人的心態之前，必須考量下列因素：

- 故意
- 輕率
- 疏忽
- 能認知可能的後果
- 控制（control）
- 本分或義務（obligation）
- 更重要的價值與利益

請學生閱讀「步驟 (二) a. 心態：此人於事發當時抱持什麼心態？」以及七項考量重點。教師可視需要解說必要的詞彙，與學生一起檢視課文的案例。

與學生一起閱讀步驟二的其餘項目，提醒學生下面的幾個重點也應納入考量：

- 過往紀錄
- 人格特質
- 感受
- 造成錯誤與傷害之人的角色

教師可視需要解說必要的詞彙，與學生一起檢視課文的案例。

與學生一起閱讀第三步驟，告訴學生考量受害者的立場也同樣重要。與學生一起討論步驟三的所有項目，可視需要解說必要的詞彙，與學生一起檢視課文的案例。

請學生完成課本第 58 頁「你的看法如何？」的問題，向全班報告及分享。

### 七、課程總結

請學生分為三人或五人一組，發給每組一份報紙或雜誌，請學生找出與匡正正義相關的文章，仔細研究文章當中，有運用哪些思考工具來處理錯誤與傷害。請各組完成後在課堂上報告。

請學生看課本第 56 頁圖片，回答圖片下方的問題：「法官在宣判之前應該考量哪些事情？」

請學生再次閱讀課本第 50 頁的本課目標，並自我評量達成多少。

### 課後練習

課本第 59 頁的「學以致用」活動，目的在於幫助學生溫習所學，練習運用匡正正義的思考工具。建議教師鼓勵學生在活動當中，運用本課匡正正義思考工具的三個思考步驟。學生可以單獨或分組進行，完成學以致用的活動。

## 第八課：匡正正義應該考量的價值與利益？

### 課程概述

本課介紹匡正正義思考工具的最後二個步驟，分別為：

1. 評估錯誤與傷害事件的一般處理方式，以及處理方式的目的。
2. 考量相關的價值與利益，決定最適當的處置方式。

學生學習匡正正義的重要詞彙，並在思考練習運用思考工具。批判思考練習「運用思考工具評估匡正正義的議題」，故事摘錄自俄國作家杜斯托也夫斯基的作品《罪與罰》，讓學生練習運用思考工具。

## 課程目標

課程結束後，學生應具備下列能力：

1. 了解匡正正義思考工具所有關鍵詞彙。
2. 探討錯誤與傷害事件的各種處理方式，每一種處理方式能達到的目的，以及這些處理方式能否達成匡正正義的三大目標（匡正、預防、嚇阻）。
3. 運用匡正正義之思考工具的五個步驟，針對匡正正義的議題加以評估、採取立場，並為其辯護。

## 課前準備／教材範圍

課本第 60-68 頁。

影印課本第 69-70 頁匡正正義思考工具空白表格，發給學生每人一份。

## 教學程序

### 一、本課介紹

請學生看課本第 62-63 頁的圖片，回答圖片的問題：「對於未經允許而在他人房屋亂塗鴉的人，應該如何處理，才算是匡正正義？」、「對於無法復原的損失，你認為金錢賠償是合理的回應嗎？」、「教育如何達到匡正正義的目的？」。

請將本課關鍵詞彙呈現在黑板上，同時請學生閱讀課本第 60 頁的本課目標。

### 二、閱讀與討論

**匡正正義的最後兩個思考工具：步驟四、步驟五**

本段課文概略介紹匡正正義思考工具全部五個步驟。讓學生閱讀課本第 60-65 頁「匡正正義的最後兩個思考工具：步驟四、步驟五」，順便複習第七課學到的前三個步驟。請將最後兩個步驟呈現在黑板上。

步驟（四）

檢視錯誤與傷害的一般處理方式及其目的

步驟（五）

衡量相關的價值與利益，決定最適當的回應方式

與學生一起討論第四步驟，提醒學生匡正正義的三大目的為匡正、預防、嚇阻，為了達到這些目的，必須以下列方式處理錯誤與傷害事件：

- 告知
- 故意忽略或不予理會
- 原諒或寬恕
- 處罰
- 要求犯錯者負責恢復原狀
- 要求犯錯者賠償
- 要求犯錯者接受治療與教育

請學生閱讀並討論步驟（四）的所有項目。教師可視需要解說較為艱深的詞彙，與學生一起研究課文的案例，討論每一種處理方式所能達到的目的。

請學生回答課本第 63 頁「你的看法如何？」的問題，並在課堂上報告。

請全班討論第五步驟。請向學生解釋，當我們在決定錯誤與傷害事件的處理方式之前，需要考量相關的價值與利益，衡量各種處理方式促進或破壞哪些價值與利益。應該納入考量的價值與利益如下：

- 如何匡正錯誤與傷害？
- 如何遏止或預防類似事件再度發生？
- 如何落實分配正義？

- 如何維護人性尊嚴？
- 如何維護生命價值？
- 如何運用現有資源，做出最合理的處置？
- 如何保障犯錯者以及其他人的自由？
- 如何符合比例原則？
- 如何平衡應報的心理？

請學生閱讀並討論第五步驟的每個項目。教師可視需要解說較為艱深的詞彙，與學生一起研究課文的案例。提醒學生這些價值與利益有時可能衝突，很難兼顧。請學生依據自身經驗與所見所聞，分享類似案例。

請學生完成課本第 65 頁「你的看法如何？」的問題，並在課堂上報告。

## 三、批判思考練習

### 運用思考工具評估匡正正義的議題

請學生分為三人或五人一組，運用匡正正義的思考工具，完成課本第 66-67 頁的批判思考練習「運用思考工具評估匡正正義的議題」。〈謀殺案〉一文摘錄自俄國作家杜斯托也夫斯基的作品《罪與罰》，內容描述一名窮苦的大學生羅迪恩為了解救其他窮苦的學生，精心策劃一起謀殺案，殺害壓榨窮學生的當鋪女老闆以及老闆同父異母的妹妹，最後逃不過良心的譴責，向警方自首。現在請教師與學生共同閱讀思考練習的說明以及課本第 68 頁「你的看法如何？」的問題。

發給學生每人一份課本第 69-70 頁的「匡正正義思考工具」空白表格。請給予學生充分時間運用匡正正義思考工具的五個步驟，分析故事中的錯誤與傷害，以及處理方式。

請學生看課本第 66 與 67 頁的插圖，回答插圖的問題：「你認為應該如何合理回應羅季昂所造成的錯誤與傷害？你會考量哪些因素？」、「這個故事出現哪些錯誤與傷害？應該如何處置？這些處置方式能達到哪些匡正正義的目的？」，在課堂上報告。

## 四、本課總結

思考練習結束後，請各組發表報告，說明如何運用思考工具決定處置方式。

請學生再次閱讀課本第 60 頁的本課目標，並自我評量達到多少。

### 課後練習

課本第 68 頁「學以致用」的練習活動目的在於幫助學生溫習所學，練習運用匡正正義的思考工具。建議教師鼓勵學生在活動當中運用匡正正義思考工具的第五步驟。教師可以請學生單獨完成學以致用的活動，也可以分組進行。

## 第九課：評估匡正正義？

### 課程概述

本課提供最後一個匡正正義的批判思考練習，要學生運用匡正正義思考工具的所有步驟。課文內容敘述貝城市政府涉嫌集體貪污，管轄建築、衛生、安全的官員涉嫌向店主與承包商收取賄賂。商店只要賄賂官員，店裡的違規就不會遭到舉發。本課要請學生扮演貝城市長的專案小組，負責調查整起事件，並對這些違法事件做一個公正且適當的處理。

### 課程目標

課程結束後，學生應具備下列能力：

1. 對錯誤與傷害事件進行評估。
2. 運用思考工具，選擇適當方式，處理錯誤與傷害事件。

### 課前準備／教材範圍

課本第 72-75 頁。

影印課本第 69-70 頁匡正正義思考工具表格，發給學生每人一份。

可彈性選擇的教學：邀請一位社區資源人士（如法官、律師）到課堂上。

## 教學程序

### 一、本課介紹

請學生觀察自己居住的社區的一些建築物，列出衛生與安全方面的問題，問他們如何做出決定，才能既公平又適當地改正情況。

請學生閱讀課本第 72 頁本課目標。

### 二、批判思考練習

#### 評估、採取立場，並爲其辯護

這個思考練習要請學生扮演貝城市長的專案小組。市政府的醜聞故事敘述報社記者米爾塔•拉米雷斯小姐祕密調查的過程。當報社聽到貝城市政府官員收取賄賂與不法回扣的傳言，為了深入調查，報社派遣記者拉米雷斯小姐買下一間小型快餐店，店內設施十分老舊，但拉米雷斯小姐完成小幅整修後，以金錢賄賂多位市府衛生、建築、安全設施官員，就順利得到營業許可。

請將下列角色呈現在黑板上：

- 市長專案小組
- 貝城市政府建築管理課課長唐•杜蓁斯基
- 建築包商羅伯特•曼寧
- 貝城市政府消防局官員珍寧•李派爾

學生分為四組，扮演市長的專案小組，建議懲處方式，懲處方式必須達到下列目標：

- 匡正案件中的錯誤與傷害。
- 預防類似事件再度發生。

請學生閱讀課本第 72-73 頁的「市政府爆發醜聞」，討論案情細節。

指派學生扮演黑板上的四個角色的專案小組，與學生一起閱讀課文當中關於角色扮演的說明。請各組閱讀課文裡的角色介紹，發給每組一份課本第 69-70 頁的「匡正正義思考工具」空白表格。請給予學生充分時間討論案件中的錯誤與傷害以及適當回應方式。教師亦可邀請一位法官或律師協助教學，向學生說明案情牽涉的法律問題。

討論結束後，請各組準備向市府調查小組報告。現在請召開調查小組會議。有關會議流程的詳細內容，請參閱本手冊第 30-32 頁。

### 三、本課總結

請市府調查小組公布最後決定的懲處名單與懲處方式。調查小組成員必須說明決策背後的理由。請教師將調查小組提供的決策寫在黑板上，並邀請法律人參與後面的討論。請學生討論調查小組決定的懲處方式能否有效匡正本案的錯誤與傷害。懲處方式能否預防類似事件再度發生？決策過程考量了哪些重要價值與利益？思考工具在調查小組的決策有發揮那些幫助？

請學生再次閱讀課本第 72 頁本課目標，自我評量達到那些目標。

本課是第三單元的最後一課，請學生在筆記本（如果有的話）上簡單寫下他們從「匡正正義思考工具」裡學到的內容。

### 課後練習

課本第 75 頁「學以致用」的練習活動目的在於幫助學生溫習所學，練習運用「匡正正義思考工具」。建議教師鼓勵學生在活動當中運用五套思考工具。教師可以請學生單獨完成學以致用的活動，也可以分組進行。

## 第四單元：程序正義？

### 介紹第四單元

向學生解釋第四單元的學習主題是程序正義，也就是用公平的方式蒐集資訊以及做決定。學生也將學到程序正義的目的：

- 盡可能蒐集必要的資訊，以做出明智且公允的決定。
- 在決策過程中，確保以明智且公允的方式使用資訊。
- 保障隱私、人性尊嚴、自由以及其他重要的價值與利益（例如：分配正義與匡正正義），以及提升效率。

本單元前幾課介紹程序正義的目的，教導學生程序正義的重要性，不僅在執法部門和法院，在政府行政與立法機關也同樣重要。

學生要學習如何辨別涉及程序正義的情況，以及練習運用以下的思考工具

- 辨別蒐集資訊的程序目的。
- 評估蒐集資訊的程序。
- 評估決策的程序。
- 考量相關的價值與利益。

本單元最後一課要請學生運用思考工具，分析美國知名司法案件「沙柯與文耶提案」所引起的有關程序正義的爭議。

讓學生看課本第 79 頁圖片，請學生找出圖片所呈現的程序正義的議題，並回答圖片的問題：「這些照片內容，說明了哪些程序正義的議題？」

讓全班閱讀課本第 79 頁的單元目標，寫下自己希望在第四單元學到的三項知識。

## 第十課：為何程序正義很重要？

### 課程概述

本課介紹程序正義。學生將學到程序正義意指使用公平的方式去蒐集資訊以及做決定。學生也會學習辨別涉及程序正義的相關情況，以及何以程序正義在司法、行政、立法等政府部門裡，都非常重要。

## 課程目標

課程結束後，學生應具備下列能力：

1. 能定義和解釋程序正義的重要性。
2. 能辨別涉及程序正義的情況。

## 課前準備／教材範圍

課本第 80-85 頁。

讓學生分為三人一組，影印美國《權利法案》（the Bill of Rights），發給每組一份。

## 教學程序

### 一、本課介紹

請學生想像自己正處於訴訟審理的程序當中。對於要呈交給法院的資訊，他們可能會關心哪些面向？他們希望法官依據哪些程序判斷他們有罪或無罪？

請學生看課本第 84 頁及第 85 頁的圖片，回答圖片下方的問題：「為什麼警察必須採取正當程序？」、「國會的決策，關係人民的福祉，想想看，國會遵守程序正義，為什麼很重要？」，請學生向全班分享他們的回答。

請將本課的關鍵詞彙呈現在黑板上，同時請學生閱讀課本第 82 頁的課程目標。

### 二、批判思考練習

#### 檢視程序正義的議題

讓學生兩人一組，完成課本第 80-81 頁的批判思考練習「檢視程序正義的議題」。要求全班回答下列問題：

1. 這些案例所描述的情況，是否公平？
2. 請說明公平與否的理由。
3. 如何改善不公平的情況？

請學生運用「你的看法如何？」的問題，去回答每個案例，並從各個案例的內容，判斷程序正義的定義。

## 三、閱讀與討論

### 程序正義的目的

請學生閱讀課本第 81 頁「程序正義的目的」。讓學生為「程序正義」下定義，並從課文找出程序正義的三大目的。學生的答案應該包含下列：

1. 盡可能增加蒐集必要的資訊的機會，以做出明智且公允的決定。
2. 在決策過程中，確保以明智且公允的方式使用資訊。
3. 保障隱私、人性尊嚴、自由，分配正義，以及提升效率。

## 四、閱讀與討論

### 爲何程序正義被認爲很重要？

請學生閱讀課本第 81-82 頁「為何程序正義被認為很重要？」，並回答課本第 82 頁「你的看法如何？」的問題，教師請和全班一起討論學生們所提出的答案。

## 五、閱讀與討論

### 爲什麼執法機關與法院必須採取正當程序？

請學生閱讀課本第 82-83 頁「為什麼執法機關與法院必須採取正當程序？」，與學生討論執法機關與法院的權威如何受到程序正義的限制。

將全班學生分為三人一組，每組發給一份課本第 83 頁美國《權利法案》以及美國憲法增修條文第十四條。請學生仔細閱讀增修條文第 4 條、第 5 條、第 6 條、第 7 條以及第 14 條，討論有關程序正義的基本原則。請學生討論這些條文，如何保障美國公民受到政府公平對待。這些條文要求美國政府尊重哪些重要價值與利益？

## 六、閱讀與討論

### 爲何要監督政府的行政與立法體系？

請學生獨力完成或兩人一組，先閱讀課本第 83-84 頁「為何要監督政府的行政與立法體系？」，然後討論課本第 84 頁「你的看法如何？」的問題。讓學生在課堂上討論答案。

## 七、閱讀與討論

### 是否在任何情況下，都要遵守程序正義？

請學生兩人一組（亦可獨自完成），閱讀課本第 84-85 頁「是否在任何情況下都要遵守程序正義？」，回答課本 85 頁「你的看法如何？」的問題。和全班一起討論他們的答案。

## 八、本課總結

請學生看課本第 84 頁圖片，回答圖片的問題：「馬基維利認為只要目標正確，可以不擇手段，你認為，這樣做會有哪些問題？這種想法與程序正義的關聯性是什麼？」。

請學生再次閱讀課本第 80 頁的本課目標，自我評量達成多少程度。

## 課後練習

課本第 85 頁「學以致用」的練習活動是為了幫助學生加強並延伸所學，了解程序正義的定義、目標與重要性。建議教師鼓勵學生在活動當中運用本課關鍵詞彙。教師可以請學生單獨完成「學以致用」的活動，也可以分組進行。

## 第十一課：如何評估程序是否公平？

### 課程概述

本課先複習程序正義的目的，並介紹程序正義思考工具的前三個步驟，內容如下：

1. 辨別資訊蒐集的程序目的。
2. 評估蒐集資訊的程序。
3. 評估用以做出決策的程序。

學生要學習關鍵詞彙，並在批判思考練習活動中，運用思考工具。

### 課程目標

課程結束後，學生應具備下列能力：

1. 能辨別和說明程序正義思考工具的前三個步驟。
2. 能說明程序正義思考工具的用處。

### 課前準備／教材範圍

課本第 86-90 頁。

將學生分為三至五人一組，每組發給一份報章雜誌。

可彈性選擇的教學：影印課本第 103 頁「程序正義思考工具」空白表格，發給學生每人一份。

### 教學程序

#### 一、本課介紹

請將本課關鍵詞彙呈現在黑板上，同時請學生閱讀課本第 86 頁的本課目標。

請學生回答下列與程序正義有關的問題：

1. 召開聽證會是要蒐集哪些資訊？
2. 為何召開聽證會必須事先通知？
3. 為何允許訴訟案件的被告有效陳述自己希望被考慮的資訊？
4. 為何公開審判的權利是重要的？

## 二、閱讀與討論

### 如何檢視程序正義的議題？

請學生閱讀課本第 86-87 頁「如何檢視程序正義的議題？」，與學生一起複習程序正義的基本目的，告訴學生判斷一個程序是否公正，要看程序能否達到這些目的，本課介紹的思考工具可用來分析程序能否達到程序正義的前兩項目的。

## 三、批判思考練習

### 資訊蒐集的思考工具

本練習要介紹程序正義思考工具的前三個步驟。第四步驟則於下一課介紹，請教師將前三步驟呈現在黑板上：

1. 判別「資訊蒐集程序」的目標。
2. 評估「資訊蒐集程序」。
3. 評估「做成決策」的程序。

當全班開始討論思考工具的內容時，教師可將相關詞彙以及跟各步驟有關連的資訊，記錄在黑板上。本段教學重點在於幫助學生了解思考工具，並能運用思考工具來分析課本案例，以及分析學生親身經歷或聽聞的事件。

請學生閱讀課本第 87-90 頁的批判思考練習「資訊蒐集的思考工具」，這個練習可經由課文閱讀與課堂討論完成，亦可透過分組活動完成。教師可要求每組負責一段課文，並在課堂報告。

**討論思考工具的步驟（一）：**

請學生閱讀第一步驟的內容，並要學生去辨別關鍵重點：

1. **辨別「資訊蒐集程序」的目標：**

- 蒐集怎樣的資訊？
- 為什麼需要這些資訊？

請學生閱讀課文中的兩個案例，分析案例主角希望得知哪些資訊，以及為何這些資訊很重要。

請學生看課本第 87 頁圖片，回答圖片的問題：「市議會開會應該遵照哪些程序？」

**討論思考工具的步驟（二）：**

請學生閱讀第二步驟的內容，並要學生指出什麼是評估「資訊蒐集程序」的關鍵問題：

2. **這些資訊蒐集的程序是否能確保所有資訊完整蒐集，以供做出明智且正確的公平決定？**

先提醒學生當要決定所有可靠資訊是否被蒐集，必須考量下列重點：

- 完整性
- 事前通知（知會）
- 有效表達意見
- 可預測性及彈性
- 可靠

教師可視需要解釋的詞彙，並與學生一起閱讀課文的案例。

**討論思考工具的步驟（三）：**

請學生閱讀第三步驟的內容，並要他們辨別評估決策程序的關鍵問題。

3. **採用的程序能否確保所蒐集的資訊被公平正確的使用？**

提醒學生，當要決定資訊是否被明智且公正的使用，必須考量下列重點：

- 中立（不偏不倚）
- 公開
- 發現錯誤及修正的可能性

教師可視需要解釋的詞彙，與學生一起閱讀課文的案例。

請學生回答課本第 90 頁「你的看法如何？」的問題，請學生在課堂上分享。

### 四、本課總結

請學生分為三或五人一組，發給每組一份報章雜誌，請學生找出與程序正義相關的文章。教師亦可發給學生每人一份課本第 103 頁「程序正義思考工具」空白表格（僅需前三步驟）。請學生應用在文章中，完成後在課堂上報告。

請學生看課本第 88 頁圖片，回答圖片的問題：「你認為美國最高法院對紀登控告溫萊特（Gideon v. Wainwright）一案所做成的判決，帶來哪些益處與代價？」。

請學生再次閱讀課本第 88 頁的本課目標，並自我評量達成多少。

## 課後練習

課本第第 92 頁「學以致用」的練習活動目的在於幫助學生溫習並延伸所學，運用程序正義的思考工具。建議教師鼓勵學生在活動當中運用本課所教的思考工具之前三項步驟。

# 第十二課：程序正義應該考量哪些價值與利益？

## 課程概述

本課介紹程序正義思考工具第四步驟，內容如下：

**步驟（四）：考量相關的價值與利益**

學生學習與程序正義有關的價值與利益，包括隱私、自由、人性尊嚴、分配正義以及實際考量。本課的批判思考練習，內容根據作家大仲馬小說《基度山恩仇記》改編。學生要練習運用「程序正義思考工具」的所有步驟，分析故事中的程序。

## 課程目標

課程結束後，學生應具備下列能力：

1. 辨別和說明了解「程序正義思考工具」的第四步驟。
2. 運用思考工具，針對程序正義的議題，發展出立場。

## 課前準備／教材範圍

課本第 92-102 頁。

影印課本第 103 頁「程序正義思考工具」空白表格，發給學生每人一份。

## 教學程序

### 一、本課介紹

請學生閱讀課本第 92 頁的本課目標。

### 二、閱讀與討論

#### 爲何應該考量相關價值及利益

請學生閱讀課本第 92 頁「為何應該考量相關價值及利益？」。提醒學生有些程序雖然可以快速蒐集資訊，卻違反了重要價值與利益（如隱私、人性尊嚴），不符合程序正義。

## 三、批判思考練習

### 考量價值與利益的思考工具

這個批判思考練習要讓學生檢驗程序正義思考工具的第四步驟。

**討論思考工具的步驟（四）：**

請學生閱讀第四步驟的內容，並確認程序有沒有保障重要價值與利益的關鍵問題：

**4. 程序能不能保障相關價值和利益？**

提醒學生確定程序是否保障重要價值及利益，應該考量程序是否危害：

- 隱私權或自由權
- 人性尊嚴的基本概念
- 分配正義的原則
- 評估實際情況的合理性

教師可視需要解釋較為艱深的詞彙和檢驗課本中的案例。請學生看課本第 93 頁圖片，以及圖片的問題：「林肯總統暫停人民人身保護令之舉，與其他重要價值和利益如何衝突？」。請學生依據課本第 94 頁「你的看法如何？」所列的問題，加以回答，並向全班分享答案。

## 四、批判思考練習

### 運用思考工具評估程序正義

請學生分為三人或五人一組，完成課本第 94-102 頁的批判思考練習「運用思考工具評估程序正義」。本篇故事〈基度山恩仇記之唐德入獄〉改編自作家大仲馬小說《基度山恩仇記》，敘述主角唐德遭到逮捕與入獄的過程。

請學生閱讀整篇故事，發給學生每人一份課本第 103 頁「程序正義思考工具」空白表格。請學生獨自一人（或兩人一組）完成表格內容。請給予學生充分時間評估故事裡面的程序，並對此案件中的爭議發展出自己的立場。

請學生看課本第 95 頁與第 102 頁插圖，回答插圖的問題：「年輕唐德的故事，有什麼程序問題？」、「你認為唐德被定罪的過程，符不符合程序正義？你會做哪些改進？」。

有關「程序正義思考工具」表格的參考答案，請見下頁。

### 五、本課總結

請學生報告討論結果，分析故事中蒐集資訊與決策的程序是否符合程序正義。

請學生再次閱讀課本第 92 頁本課目標，並自我評量達到多少。

## 課後練習

課本第 102 頁「學以致用」的練習活動目的在於幫助學生溫習所學，練習運用「程序正義思考工具」。建議教師鼓勵學生在活動當中運用第十一課與第十二課介紹的思考工具四步驟。教師可以請學生單獨完成「學以致用」的活動，也可以分組進行。

| 程序正義的思考工具 | |
|---|---|
| **問題** | **答案** |
| 1. 要蒐集哪些資訊？為什麼要蒐集這些資訊？ | 1. 唐德謀反的證據<br>2. 為了確認唐德是否有罪 |
| 2. 用這種程序蒐集來的資訊是否正確可靠？請考量：<br>■ 完整性<br>■ 通知（知會）<br>■ 有效表達意見<br>■ 可預測性及靈活彈性<br>■ 可靠性 | ■ 警方逮捕唐德，將拿破崙交給唐德的信當作證據，但是這封信後來被檢察官維弗銷毀。唐德說他沒有看過信的內容，也不認識那些被法國政府指控謀反的人。故事從頭到尾都沒有人調查唐德所言是否為真。<br>■ 唐德完全沒有時間準備受審，也從未接受公開審判。<br>■ 唐德本人以及他的家人都未被允許向公正的團體，提出辯駁。<br>■ 檢察官維弗明知唐德有權接受公開審判，卻為了保護自己故意省略司法程序。<br>■ 檢察官維弗的初步調查發現拿破崙的確拿出一封信，要唐德交給住在巴黎的諾提先生，信的內容也透露謀反人士的名單，但是自始自終都沒有完整、公開、公正的調查程序。檢察官沒有經過可靠的法律程序，就擅自決定監禁唐德。 |
| 3. 資訊有沒有遭到不當使用？請考量：<br>■ 中立（不偏不倚）<br>■ 公開程序<br>■ 發現錯誤及修正的可能性 | ■ 檢察官維弗為了隱瞞自己父親謀反的事實，不僅銷毀證據，調查過程也充滿瑕疵，不允許唐德請律師，而且沒有經過審判就監禁唐德。<br>■ 檢察官維弗為了隱瞞自己父親謀反的事實，程序故意保密。<br>■ 整個程序都是秘密進行，沒有人能發現及修正錯誤。 |

| 4. 程序能不能保障重要的價值及利益？請考量：<br>■ 隱私與自由<br>■ 人性尊嚴<br>■ 分配正義<br>■ 評估實際情況的合理性 | ■ 故事中的司法程序缺乏程序保障，對唐德與整個社會造成極大傷害。<br>■ 故事中的所有程序都侵犯無罪者的基本權利。<br>■ 唐德根本無罪，卻遭到監禁。<br>■ 從故事內容無法判斷程序是否符合實際考量。 |
|---|---|
| 5. 能不能達到程序正義的目的？如有必要，你會做哪些改進？ | 學生可自由作答，教師可要求學生就自己的答案提出說明。 |
| 6. 請說明你的立場。 | 學生可自由作答，教師可要求學生就自己的答案提出說明。 |

## 第十三課：評估程序正義？

### 課程概述

本課的思考練習要請學生運用思考工具，分析一起司法案件。課文敘述 1920 年代美國轟動一時的司法案件「沙柯與文耶提案」當中的調查、審判與判決程序。學生扮演特赦委員會，召開聽證會討論本案中蒐集證據以及判決的程序是否符合程序正義。

### 課程目標

課程結束後，學生應具備下列能力：

1. 評估與程序正義相關的事件。
2. 對於某情況所涉及的程序正義之議題，採取立場，並為其辯護。

### 課前準備／教材範圍

課本第 104-113 頁。

影印課本第 103 頁「程序正義思考工具」空白表格，發給學生每人一份。

可彈性選擇的教學：邀請一位社區資源人士（如律師或法官）到課堂上，協助教學。

## 教學程序

### 一、本課簡介

讓學生看課本第 105 頁與第 106 頁圖片，回答圖片的問題：「逮捕不諳英語的嫌犯時，怎麼做才能符合程序正義？」、「輿論如何影響法庭審判？」，並向全班報告答案。

請學生討論司法案件中怎樣的蒐證與決策程序是有效的。進入本課之前，可請學生複習美國憲法增修條文第 4 條、第 5 條以及第 6 條。

請學生閱讀課本第 105 頁的本課目標。

### 二、批判思考練習

#### 針對歷史案件的程序，加以評估並採取立場

請學生看課本第 107 頁圖片，以及圖片的問題：「法院審理備受矚目的案件（如本案）應該注意哪些程序？」，然後讓學生向全班分享看法。

本課的批判思考練習，要讓學生角色扮演，模擬一個特赦委員會，並召開聽證會，討論課文案例之資訊蒐集與決策的程序。請教師將下列角色呈現在黑板上：

一、辯護律師（代表沙柯、文耶提）

二、麻州檢方

三、特赦委員會

如果學生人數過多，建議教師增設以下兩組：

四、抗辯律師（一）（負責反駁辯護律師提出的論點）

五、抗辯律師（二）（負責反駁麻州檢方提出的論點）

這兩組同學分別負責反駁辯護律師與麻州檢方提出的論點。

請學生閱讀課本第 104-111 頁「批判思考練習：針對歷史案件的程序，加以評估並採取立場」。本段課文敘述 1920 年代美國的政治氣氛，

以及沙柯與文耶提一案中的犯罪事實、後續調查與審判程序。本案被告沙柯與文耶提最後遭到法院判處死刑，並由麻州政府執行。本段課文較長，教師可請全班分為五組，每組負責一個小標題，再請各組報告內容摘要。

請教師與學生一起閱讀批判思考練習說明以及課本第 112 頁「你的看法如何？」問題。有關特赦委員會之會議流程說明，請參閱本手冊第 25-27 頁「模擬法庭」章節。

## 三、批判思考練習

### 在特赦聽證會上辯護你的立場

請學生分組，負責扮演黑板上的角色。發給學生每人一份課本第 103 頁「程序正義思考工具」空白表格。請給予學生充分時間討論案件當中的法律程序是否符合程序正義。教師可請一位社區資源人士（法官或律師）協助指導學生討論，與特赦委員會成員一起聽取報告。最後的課程總結亦可請社區資源人士一起參與。

## 四、本課總結

請特赦委員會報告最後決定，並解釋決策背後的理由，教師可將特赦委員會的決策內容寫在黑板上。請學生討論特赦委員會的決策能否達到程序正義的目標。特赦委員會的決策能否蒐集必要的資訊，以便將來類似案件的承審法官能做出明智公正的判決？特赦委員會的決策能否確保將來類似案件的承審法官能以明智公正的方式運用資訊，做出最適當的判決？特赦委員會的決策能否保障重要價值與利益？特赦委員會如何運用思考工具？

請學生看課本第 112 頁的插圖，回答插圖下方的問題：「法律訴訟採公開程序，對於達成程序正義的目的，有沒有幫助？」。

請學生再次閱讀課本第 104 頁的本課目標，並自我評量達到多少。

本課為第四單元的最後一課，請學生在筆記本上寫下心得，回顧在第四單元學到的知識，並且分析「程序正義思考工具」的用途。

## 課後練習

課本第 115 頁「學以致用」的練習活動目的在於幫助學生溫習所學，練習運用「程序正義的思考工具」。建議教師鼓勵學生在活動當中，運用本單元所學之思考工具的四個步驟。教師可以請學生單獨完成學以致用的活動，也可以分組進行。

**總結正義課程**

正義課程到此全部結束，建議教師可與學生一起回顧評估《民主基礎系列》整體的學習過程，包括課程內容與教學方式，以及所有思考工具的運用經驗。發給學生每人一份影印自本手冊第 39 頁「學習經驗回顧」的空白表格，提醒學生除了回顧評估自己的學習經驗之外，也要省思全班的學習過程。請學生向全班分享彼此的心得。

國家圖書館出版品預行編目資料

超級公民 —— 教師手冊 / Center for Civic Education 原著 ; 郭菀玲譯 .
-- 初版 . -- 臺北市 : 民間公民與法治教育基金會 ,
2019.07
面 ;　公分
譯自 : Foundation of Democracy: Authority, Privacy, Responsibility, Justice
ISBN 978-986-97461-0-6（平裝）
1. 公民教育 2. 民主教育
528.3　　108001001

## 超級公民 —— 教師手冊

原著書名：Foundation of Democracy: Authority, Privacy, Responsibility, Justice
著 作 人：Center for Civic Education
譯　　者：郭菀玲
策　　劃：黃旭田、張澤平、林佳範
系列總編輯：李岳霖
董 事 長：邱秋林
出 版 者：財團法人民間公民與法治教育基金會
編輯委員：林孟皇、李岳霖、劉金玫、許民憲
責任編輯：薛維萩、許庭瑛、五南編輯
地　　址：104 台北市松江路 100 巷 4 號 5 樓
電　　話：(02) 2521-4258
傳　　真：(02) 2521-4245
網　　址：http://www.lre.org.tw/
合作出版：五南圖書出版股份有限公司
發 行 人：楊榮川
地　　址：106 台北市大安區和平東路二段 339 號 4 樓
電　　話：(02) 2705-5066
傳　　真：(02) 2706-6100
劃　　撥：010689563
網　　址：http://www.wunan.com.tw
電子郵件：wunan@wunan.com.tw
法律顧問：林勝安律師事務所　林勝安律師
版　　刷：2019 年 7 月一版一刷
定　　價：200 元